ALTERNATIVAS LABORALES

ALTERNATIVAS LABORALES

Ricardo Mercado Dávila

México, Argentina, España,
Colombia, Puerto Rico, Venezuela ®

Catalogación en la fuente

Mercado Dávila, Ricardo
Alternativas laborales. -- México : Trillas, 2013.
128 p. : fotos ; 27 cm.
Bibliografía: p. 128
ISBN 978-607-17-1759-7

1. Trabajo - Oferta. 2. Entrevistas. 3. Relaciones industriales. I. t.

D- 650.14'M369a LC- HF5382.7'M4.3

División Administrativa,
Av. Río Churubusco 385,
Col. Gral. Pedro María Anaya,
C. P. 03340, México, D. F.
Tel. 56884233
FAX 56041364
churubusco@trillas.mx

División Logística,
Calzada de la Viga 1132,
C. P. 09439, México, D. F.
Tel. 56330995, FAX 56330870
laviga@trillas.mx

Tienda en línea
www.etrillas.mx

Miembro de la Cámara Nacional de la Industria Editorial
Reg. núm. 158

Primera edición, noviembre 2013
ISBN 978-607-17-1759-7

Impreso en México
Printed in Mexico

Esta obra se imprimió el 15 de noviembre de 2013, en los talleres de Editora Ideas, S. A. de C. V.

B 75 TSW/TW

Presentación

Minino de Cheshire, ¿podrías decirme, por favor, qué camino debo seguir para salir de aquí?
Esto depende en gran parte del sitio al que quieras llegar –dijo el Gato.
No me importa mucho el sitio... –dijo Alicia.
Entonces tampoco importa mucho el camino que tomes –dijo el Gato.
... siempre que llegue a alguna parte –añadió Alicia como explicación.
¡Oh, siempre llegarás a alguna parte –aseguró el Gato–, si caminas lo suficiente!

LEWIS CARROLL, *Alicia en el País de las Maravillas*

Querido estudiante:

Como seguramente ya sabes, esta es la última parte de tu formación en el bachillerato. En la plática de pasillo de todos los días ya se asoma el tema "¿Qué vas a hacer cuándo termine el semestre?", y luego de hacer un repaso de todo lo que has conocido desde que llegaste a esta escuela, te das cuenta de que las materias fueron cambiando su perfil académico a uno más relacionado con el campo laboral. Incluso, es probable que al hacer tu plan de vida, uno de los temas recurrentes sea "¿A qué me voy a dedicar?". Tus intereses y aptitudes personales y profesionales, tu situación familiar, tu función como individuo en la sociedad en que vives, tus pretensiones y necesidades económicas, las condiciones de desarrollo y oportunidad del mercado de trabajo de tu localidad, e incluso, los comentarios de parientes y amigos sobre lo que habrás de hacer en un futuro son, sin duda alguna, factores que intervienen en la decisión que tomes al respecto.

Así, en el momento en que egreses del bachillerato tendrás dos opciones: por un lado, podrías continuar con tu preparación académica en el nivel superior (lo cual te permitiría, a mediano plazo, obtener una licenciatura y aun un posgrado), o bien obtener una mayor capacitación para el trabajo; por otro lado, tendrás la alternativa de incorporarte ya a la vida laboral, es decir, que trabajes en una actividad en la que se te pague económicamente. También, según el caso, tendrás la posibilidad o necesidad de realizar las dos opciones: estudiar y trabajar, de manera simultánea, lo que sería muy benéfico para ti y tu familia en muchos aspectos, pues ya estás en una edad en la que se te considera una persona productiva e independiente, y la experiencia académica que has tenido hasta ahora, si la has aprovechado bien, te ha dado una preparación básica que te permitiría colaborar con alguna empresa, negocio o institución de tu interés.

Empezar a trabajar, sin embargo, no es un acto instantáneo, improvisado o del azar. La primera etapa de este proceso, es decir, buscar y encontrar un trabajo, requiere que determines una metodología y un sistema, que plantees objetivos, que estructures acciones y que definas estrategias que te permitan identificar una fuente laboral que sea acorde con tus capacidades, habilidades y conocimientos, además de que cumpla con tu proyecto de vida, que promueva tu desarrollo profesional y te retribuya de manera económica por lo que hagas. Si bien esto no es una tarea fácil, tampoco es una guerra perdida. Es cuestión de que te plantees las siguientes preguntas y las resuelvas.

- ¿Qué es lo que quiero hacer?
- ¿Cómo me gustaría hacerlo?
- ¿Por qué me gustaría hacerlo?
- ¿Dónde me gustaría desarrollarlo?

En este libro se te da un programa de trabajo para que puedas encontrar una fuente laboral, desarrollar estrategias que te permitan lograrlo con la mayor eficiencia, generar reflexiones para tener una mayor conciencia de lo que haces, y buscar y analizar información que te permita conocer las condiciones del mundo laboral. Para ello se propone el uso de diferentes recursos didácticos y el desarrollo de las competencias que se incluyen en el programa de estudios oficial. En especial, hay diferentes actividades que se orientan al uso de las tecnologías de la información y comunicación (TIC), toda vez que éstas representan hoy el medio más conveniente para vincularte con el entorno laboral. Es importante que tomes en cuenta que los objetivos del curso únicamente se logran si dedicas toda tu intención y compromiso, si realizas lo que se te propone en cada bloque con seriedad y atendiendo a los resultados de lo que vayas aprendiendo.

Este material, en conjunto con la acertada orientación de tu docente, te llevará a visualizar no sólo tu perspectiva como una persona interesada en ocupar y desarrollar un puesto de trabajo, sino también a evaluar y conocer las políticas y los objetivos que tienen las empresas en términos de reclutamiento, selección y contratación de personal.

El que aproveches las alternativas laborales significa, entre otras cosas, que sepas persuadir y vender a un empleador tu capital personal, es decir, tu fuerza productiva, con el fin de obtener un ingreso económico acorde con tu proyecto de vida y que tengas la satisfacción de hacer lo que te gusta. Sin embargo, trabajar no es sólo llegar y "hacer" cosas; también implica contribuir con tu trabajo a la consecución de los objetivos de la empresa o institución que te contrata, lo que, a su vez, produce un beneficio social y económico de la localidad y una estabilidad y crecimiento de tu persona.

El camino no es fácil, pero no creas que es imposible. Hasta ahora, has podido salir adelante en tu formación del bachillerato, y ya has sorteado diferentes dificultades. Con seguridad, llegarás mucho más lejos, siempre y cuando te prepares lo suficiente para enfrentarte al mundo laboral.

Psic. Ricardo Mercado Dávila

Índice de contenido

Para el docente

FUNDAMENTACIÓN DE ESTE CURSO

Propósito general del componente formativo. Contribuir en la formación integral de los estudiantes del Sistema Nacional de Bachillerato, y de diferentes instituciones de educación superior.

Propósito general de la unidad de aprendizaje. Ofrecer una guía a los estudiantes con herramientas útiles para la búsqueda y el encuentro de una alternativa de trabajo, la cual cubra pertinentemente sus expectativas personales y profesionales.

CONTEXTO Y COMPOSICIÓN DE LA ASIGNATURA

Como parte de la formación para el trabajo que contemplan los diferentes subsistemas de Bachillerato y Educación Superior, se incluyen dentro de cada plan de estudios asignaturas cuyo propósito es acercar y vincular al estudiante con el mercado laboral, específicamente en la etapa de búsqueda y solicitud de un puesto de trabajo. Estas asignaturas, que pueden ser obligatorias, opcionales o complementarias superan las limitaciones que presentar los cursos de orientación vocacional típicos, los que, en muchos casos, no vinculan los intereses profesionales de los estudiantes con las condiciones laborales del contexto local, ni con los procesos, medios e instrumentos de búsqueda, evaluación y contratación que actualmente definen las empresas e instituciones.

Asimismo, dadas las problemáticas actuales en torno a la eficiencia terminal y a la capacitación efectiva de los estudiantes de los niveles medio superior y superior (entre las que destacan la diserción escolar por una prematura incorporación al mercado laboral, la falta de empleos en la localidad, y la consecuente migración a otras regiones dentro y fuera del país), surge la imperiosa necesidad de implantar una línea de formación que lleve al estudiante a elaborar un plan de vida productivo y a que sea capaz de encontrar áreas de oportunidad en su propia comunidad para hacerla crecer en los aspectos social y económico.

De ahí que en la línea de formación emprendedora se persigan tres propósitos; al egresar del bachillerato o del nivel superior, el estudiante:

1. Continuará sus estudios en el nivel superior o en un posgrado, respectivamente;
2. Será empleador, o
3. Será empleado.

En lo que se refiere al conocimiento previo con el que los estudiantes cuentan para esta unidad de aprendizaje, el antecedente son las unidades de aprendizaje de Formación Emprendedora, Pensamiento y Lenguaje, Lógica y Manejo de las TIC. Así también se consideran los conocimientos que puedan tener aquellos estudiantes ya inmersos en el ámbito productivo, es decir, aquellos que ya hayan trabajado o que se encuentren trabajando en algún negocio o empresa, lo cual les ha permitido vivenciar el proceso de búsqueda de trabajo, cuyas experiencias y testimonios podrán enriquecer el proceso de enseñanza-aprendizaje, tomando en cuenta las áreas de oportunidad y fortalezas que se tuvieron durante el camino.

La competencia de la unidad de aprendizaje es: *Produce diversas evidencias de los aspectos que se involucran en la búsqueda laboral, adquiriendo con ello, herramientas que le ayuden a enfrentar tal proceso de una manera segura y asertiva.* Por la expresión de la competencia se pretende desarrollar en el estudiante niveles cognitivos de conocimiento, comprensión y aplicación, así como actitudes y valores. Para los saberes conceptuales y procedimentales, además de resolver algunas actividades que el docente o facilitador establezca, se obtendrán productos específicos que en su conjunto son primordiales para el cumplimiento de la competencia. Asimismo, se proporcionarán recursos para la obtención de evidencias por producto, procedimiento y actitud.

PERFIL DE EGRESO

Competencia general

Produce diversas evidencias de los aspectos que se involucran en la búsqueda laboral, adquiriendo, con ello, herramientas que le ayuden a enfrentar dicho proceso de una manera segura y asertiva.

Competencias genéricas

1. Se conoce y valora a sí mismo, y aborda problemas y retos teniendo en cuenta los objetivos que persigue.
2. Escucha, interpreta y emite mensajes pertinentes en distintos contextos mediante la utilización de medios, códigos y herramientas apropiados.
3. Sustenta una postura personal sobre temas de interés y relevancia general, considerando otros puntos de vista de manera crítica y reflexiva.
4. Aprende por iniciativa e interés propio a lo largo de la vida.
5. Participa y colabora de manera efectiva en equipos diversos.

Competencias disciplinares

1. Analiza con visión emprendedora los factores y elementos fundamentales que intervienen en la productividad y competitividad de una organización y su relación con el entorno socioeconómico.
2. Construye de manera crítica y analítica un perfil emprendedor para sí mismo, e identifica de manera honesta sus propios paradigmas, para contribuir al desarrollo de sus habilidades creativas e innovadoras, logrando así, insertarse en el ámbito laboral como empleado de una empresa o como generador de su propia empresa.

Metodología de este libro

La obra que hoy tienes en tus manos fue elaborada con base en la metodología de competencias que establece el Sistema Nacional de Bachillerato (SNB) dentro del Marco Curricular Común (MCC), por lo que en esta unidad de aprendizaje desarrollarás diversos temas vinculados con la búsqueda, la identificación y la obtención de empleo; asimismo, algunos puntos de esta metodología tienen la finalidad de que, en cada bloque, generes conocimientos a partir de la reflexión y el análisis que te permitan reorientar tu perspectiva sobre el mercado laboral.

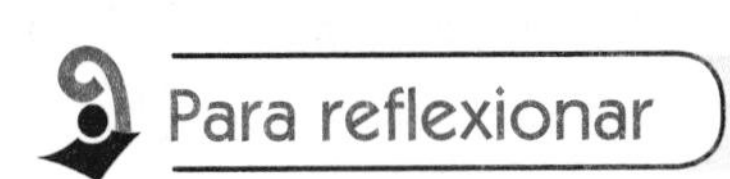

Para reflexionar

Cada bloque parte de una situación problemática que busca despertar en ti la curiosidad y la inquietud por conocer con mayor profundidad y cuestionar lo que aprendes.

Se presenta una información relacionada con el empleo y los jóvenes como tú, o bien historias con personajes ficticios, pero que no son lejanos a la realidad; estos relatos son las experiencias de muchas personas y que son armados de tal manera que sintetizan un problema para, posteriormente, presentarte algunas interrogantes que te lleven a tomar una posición al respecto.

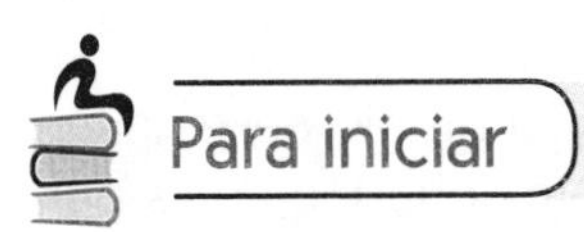

Para iniciar

Al iniciar cada tema se presenta un panorama general que pretende dar una visión general del tema que se va a tratar.

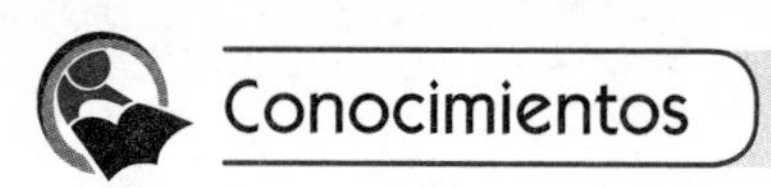

Conocimientos

En cada tema se muestra una serie de conceptos y conocimientos que puedes ampliar y profundizar en la revisión de bibliografía adicional o bien en alguna página web, en internet.

Habilidades

Posteriormente se te pide la realización de algunas actividades o ejercicios que se orientan a integrar los conocimientos ya presentados, y que realices procesos de reflexión que refuercen tu aprendizaje.

Valores y actitudes

¿Cuál es tu posición personal ante lo visto? ¿Te puede ser útil? ¿Tiene aplicación en tu vida?

¿Cuánto puede valer para ti? ¿Qué actitud te despierta? ¿Cuál es tu visión sobre lo aprendido?

Evaluación del desempeño

El aprendizaje debe ser valorado y determinado. Esto se logra mediante las evidencias de aprendizaje de lo que ya estudiaste y puedes demostrar. Lo que puedes desarrollar y ejecutar es evidenciable.

Evaluación del aprendizaje

Aquí no se plantea un examen del facilitador, ni tampoco un análisis de conciencia; se propone que tú mismo reflexiones sobre tu desempeño logrado en cada bloque, y que consideres las observaciones que hagan tus compañeros y tu facilitador para definir la forma en que has cumplido con las metas que se establecen al inicio de cada tema y, con ello, mejores el desempeño y se eleve la calidad de tu aprendizaje.

Esta evaluación se compone de tres elementos: autoevaluación, coevaluación y heteroevaluación.

Autoevaluación. Es el proceso en el que vas a evaluar tu propio desempeño, reconociendo tus posibilidades, limitaciones y los cambios que requieras para mejorar tu nivel de aprendizaje. Con ello lograrás emitir juicios de valor con base en indicadores previamente establecidos, estimular la retroalimentación de ti mismo, y participar de forma crítica en la construcción de tu propio aprendizaje. Para ello debes utilizar la siguiente escala:

1 Desconozco de qué se trató el tema.
2 Conocí los puntos esenciales del bloque, memoricé algunos conceptos e información, pero no les encuentro ninguna aplicación en mi vida personal.
3 Comprendo la información que se me brindó, y encuentro una relación entre los diferentes saberes.
4 Puedo aplicar lo aprendido en este bloque; estos conocimientos son importantes y puedo aplicarlos directamente en mi desempeño como estudiante y como persona.
5 Analizo los contenidos y evalúo las circunstancias, de manera que puedo asumir una posición frente a los saberes, y con ello, hacer aportaciones que me permiten conocer más de lo visto.

Coevaluación. Es el proceso de valoración que se realiza entre pares, es decir, entre los mismos alumnos, sobre el desempeño en la construcción del aprendizaje; esto se realiza mediante indicadores establecidos. Con esto se pretende fomentar la participación, reflexión y crítica en situaciones de aprendizaje; conocer el desempeño en grupo; desarrollar actitudes que fomenten la integración del grupo; elevar la responsabilidad e identificación con el trabajo, y establecer juicios de valor referente a compañeros con libertad, compromiso y responsabilidad.

Heteroevaluación. Parte del hecho de que una persona (facilitador) evalúa lo que otra realiza (estudiante). Aquí evalúa quien tiene el conocimiento, pero que también ejerce el papel de guía y asesor. Este instrumento le permite al facilitador contar con parámetros estructurados que le resultarán útiles para conocer el alcance de metas por parte del estudiante y reorientar sus comportamientos de manera que logre un aprendizaje pleno.

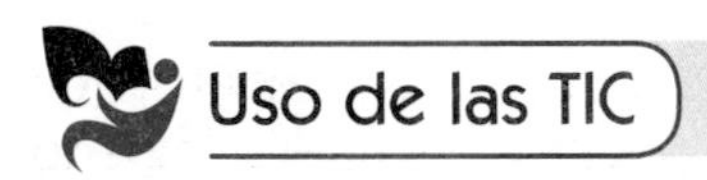

Uso de las TIC

Durante el desarrollo de este libro se presentan algunos cuadros con actividades orientadas a aplicar y utilizar las Tecnologías de Información y Comunicación (TIC) con el fin de que apliques las habilidades relacionadas con el vasto recurso que la sociedad actual te ofrece. Se ha pensado que, por un lado, este recurso didáctico no se reduzca a sólo "visitar" una página web, ni que "sepas dónde picarle", sino que encuentres actividades que te faciliten los procesos mentales necesarios para adquirir un sentido de investigación, de análisis y reflexión; y por otro lado, que internet sea usado y explotado en su debida dimensión, acorde con el contexto local y para los fines que esta asignatura persigue.

Bloque I

Aspectos introductorios

Competencia de bloque

Describes de manera organizada y con certeza el perfil objetivo para dar inicio al proceso de búsqueda de trabajo, el cual te permitirá encontrar la oferta que mejor satisfaga tus expectativas personales y profesionales.

Atributos de las competencias genéricas

1.3. Eliges alternativas y cursos de acción con base en criterios sustentados en el marco de un proyecto de vida.
1.4. Analizas críticamente los factores que influyen en tu toma de decisiones.
1.6. Administras los recursos disponibles teniendo en cuenta las restricciones para el logro de tus metas.
4.1. Expresas ideas y conceptos mediante representaciones lingüísticas, matemáticas o gráficas.
4.3. Identificas las ideas clave en un texto o discurso oral, e infieres conclusiones a partir de ellas.
4.5. Manejas tecnologías de la información y la comunicación para obtener información y expresar ideas.
6.1. Eliges las fuentes de información más relevantes para un propósito específico y discriminas entre ellas de acuerdo con su relevancia y confiabilidad.
6.3. Reconoces los propios prejuicios, modificas tus puntos de vista al conocer nuevas evidencias, e integras nuevos conocimientos y perspectivas al acervo con el que cuentas.
6.4. Estructuras ideas y argumentos de manera clara, coherente y sintética.
7.1. Defines metas y das seguimiento a tus procesos de construcción de conocimiento.
7.3. Articulas saberes de diversos campos y estableces relaciones entre ellos y tu vida cotidiana.
8.2. Aportas puntos de vista con apertura y consideras los de otras personas de manera reflexiva.
8.3. Asumes una actitud constructiva, congruente con los conocimientos y habilidades con los que cuentas dentro de distintos equipos de trabajo.

Para reflexionar

Lee el texto siguiente:

Los *ninis*

Se ha adoptado el término *nini* para aquella población de jóvenes que están en edad escolar y que cuentan con capacidad física y mental para trabajar, pero que no tienen una actividad académica ni productiva, es decir, NI estudian en forma regular y metódica, NI trabajan. Este fenómeno social se ha evidenciado en varios países. En México, la UNAM, calculó en 2010 que alrededor de 7 millones de jóvenes estarían dentro de este grupo de población.

Es muy probable que dicha cifra se incremente de manera considerable en los siguientes años, dadas las condiciones económicas que vive el país, las cuales también fomentan que muchos de estos jóvenes prefieran emigrar a Estados Unidos o Canadá con el fin de buscar mejores condiciones de vida, bajo la creencia de que en estos países hay mayores oportunidades, principalmente de trabajo.

Este fenómeno social es muy complejo, pero se mencionan como causas principales el bajo ingreso de las familias, las cuales no pueden seguir financiando los estudios de los hijos, y éstos se ven obligados a abandonar la escuela a una edad temprana y sin tener una preparación que les permita incorporarse a la vida laboral, por lo que se les dificulta obtener un empleo. Asimismo, se debe mencionar la falta de programas educativos que sean acordes con las exigencias del mercado laboral, que estimulen el estudio del bachillerato y el nivel superior, y además que permitan aumentar el número de egresados de las instituciones educativas (eficiencia terminal).

Además de lo anterior, deben mencionarse otras causas como:

- Ocio.
- Reducida atención del núcleo familiar.
- Poco interés por estudiar.
- Maternidad/paternidad a temprana edad.
- Adicciones.
- Estilos de vida difundidos y promovidos por la sociedad actual, de carácter consumista, donde aparentemente se vive bien con el mínimo esfuerzo.

Esto trae consecuencias sociales importantes, pues este sector de la población se vuelve presa fácil de la delincuencia organizada, que recluta a los jóvenes ofreciéndole beneficios a muy corto plazo.

Asimismo, si bien los ninis representan un problema para toda la sociedad, ésta, lejos de buscar opciones para integrarlos al ciclo productivo y de desarrollo, los margina, discrimina y rechaza, por lo que los jóvenes viven en un ambiente de ocio frustrante, impuesto, improductivo, incómodo, angustiante y doloroso. Por más que busquen su lugar en la sociedad, les es difícil encontrarlo. Algunos de estos jóvenes buscan alternativas escolares y laborales, pero son rechazados, pues no tienen un sentido de productividad y adaptación social.

Todo lo anterior limita a los ninis para desarrollar un proyecto de vida que les lleve a su realización personal. Los ninis, sin oportunidades de crecimiento y sin una educación que les permita desarrollar habilidades aptas para el trabajo, sólo pueden conseguir empleos mal pagados, de largas jornadas laborales, y sin ningún tipo de prestaciones de seguridad social o de ahorro. Las oportunidades son nulas y su calidad de vida se reduce. La sociedad y los gobiernos deben visualizar la implantación de políticas que promuevan la integración efectiva de estos jóvenes en la cadena productiva, de manera que su trabajo no sólo sea generador de oportunidades de desarrollo para la sociedad en que viven, sino también para las generaciones siguientes.

Ahora, contesta las siguientes preguntas. Argumenta tu respuesta.

1. ¿Consideras que este fenómeno se presenta en tu comunidad?

____

____

____

2. ¿Cómo puedes identificarlo en tu comunidad?

____

____

____

3. ¿Qué consideras que pueden hacer las autoridades para frenar esta problemática social?

____

____

____

4. ¿Qué consideras que puedes aportar para la reducción de esta problemática social?

____

____

____

____

5. ¿De qué manera consideras que puede afectarte esta problemática social?

____

____

____

____

6. ¿Qué beneficios puede traer a tu desarrollo personal la reducción de esta problemática social?

____

____

____

____

ANTES DE SALIR AL MERCADO

Conocer a otros es inteligencia; conocerse a sí mismo es sabiduría.
Manejar a otros es fuerza; manejarse a sí mismo es verdadero poder.

TAO TE CHING

Para iniciar

La palabra trabajo tiene su origen etimológico en el latín *tripalium*, y se entiende como "la valoración del esfuerzo realizado por un ser humano". Dicho término tiene muchas aseveraciones, pero hay dos que nos interesan dada su relación con la materia que estamos estudiando:

a) Acción que realiza una persona que está ocupada en llevar una actividad, ya sea de tipo físico o mental.
b) Ocupación que tiene un hombre o mujer fuera de la casa y por la cual recibe una remuneración económica.

Este último significado de trabajo se refiere a que un individuo realiza una determinada actividad productiva y es recompensado con un salario que representa el precio que se le asigna a la labor que desarrolla.

Actualmente el trabajo está regulado en todos los países mediante leyes que buscan evitar la explotación del trabajador y fomentar la productividad. En México, por ejemplo, se cuenta con la *Ley Federal del Trabajo*.

Por otro lado, no sólo existe el trabajo en donde una persona se desempeña en una planta o en un negocio y está en función de un patrón; también existe una actividad productiva que se conoce como *trabajo independiente*. En México este tipo de trabajo permite a las empresas dinamizar su planta productiva o su base de servicio, y llevar una programación con mayor efectividad. Asimismo, el trabajo independiente permite a las empresas o instituciones el ahorro de recursos internos, delegando funciones y etapas del proceso productivo a trabajadores externos.

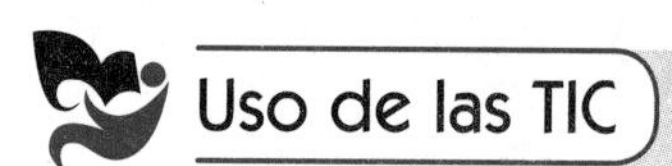

Con uno de tus compañeros de clase, consulta el sitio electrónico <http://www.observatoriolaboral.gob.mx> y analiza lo que allí se define; este sitio incluye un glosario en línea.
Revisen las secciones del sitio, y comenten su contenido:

¿Qué secciones les interesaron de este sitio?
¿Ya lo conocían?
¿Conocen algún sitio similar?

¿Para qué les puede ser útil? ¿Cuál creen que sea el propósito de crear estos sitios? ¿Qué beneficios tienen las empresas o instituciones que los administran?
¿Qué información no entienden o les resulta poco clara? ¿Cómo podrían encontrar la información que les permita entender los mensajes que no resultan claros?
Expliquen su método por escrito.

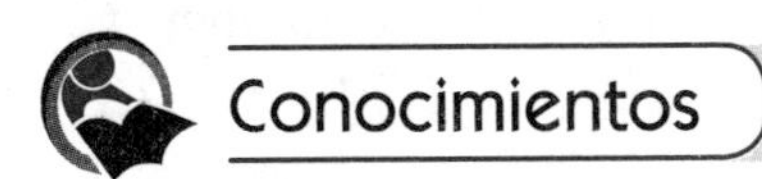

Conocimientos

¿Has advertido la frecuencia con la que, de manera directa e indirecta, hablamos y escuchamos de situaciones vinculadas al trabajo? En los medios de comunicación, en las conversaciones en la casa y la escuela, y aun en la calle, mientras esperamos el transporte público, recibimos mensajes que abordan el tema, por ejemplo: la llegada e inversión de nuevas empresas a la localidad, que estimularán el uso de mano de obra de la región; que el hermano mayor de Alfredo pudo terminar su licenciatura mientras estuvo en su primer trabajo; que Norma llegará tarde a la reunión, pues tendrá que trabajar medio día; que el desempleo funciona como un indicador para conocer la situación económica y social del país; que Mario espera la quincena y el bono de navidad para liquidar la fiesta de su ahijado; que Roberto debe viajar al municipio vecino para entregar algunas facturas y mensajería de la empresa que lo contrató, etc. Pero, ¿qué entendemos, en un sentido profundo, por trabajo?

El trabajo, además de un medio de sustento, es la manifestación de nuestro ser que tiene como fin una transformación que redunde en nuestro beneficio y en bienestar de la sociedad. El trabajo es el lugar donde se expresan nuestras facultades intelectuales, corporales, personales e incluso espirituales y morales, y donde, en suma, todo el esfuerzo y el desempeño de un grupo social se ve reflejado.

El trabajo es una forma primaria que tiene el ser humano para entablar un vínculo directo con el medio ambiente y la naturaleza, y para establecer relaciones sociales. Asimismo, es el medio por el que se satisfacen las necesidades vitales, de índole material, emocional y espiritual. Si bien el trabajo colabora al desarrollo integral del individuo y del grupo al que pertenece, en la sociedad actual sólo se percibe como una capacidad para producir bienes y servicios, como la fuerza necesaria para la producción; sólo fuerza laboral. Valdría la pena reflexionar más sobre la función del trabajo en nuestros días para equilibrar la relación que guarda éste con otras actividades de nuestra vida.

Habilidades

En tu portafolio de evidencias elabora un listado de los 10 beneficios que consideres que tiene el trabajar, además de la retribución económica. Comparte y compara este listado con el resto de tu grupo.

Valores y actitudes

En tu portafolio de evidencias realiza un ensayo de cuando menos media cuartilla, en el que describas lo que significaría para ti, además de recibir una retribución económica, incorporarte a una vida productiva.

Escribe aquí el nombre de tu ensayo: ____________________

____

____

Evaluación del desempeño

Elabora en tu portafolio de evidencias un mapa conceptual en el que describas una ruta de la metodología que seguirás para la búsqueda de una fuente laboral. ¿Cómo empezar de cero para obtener un resultado satisfactorio?

Luego, elabora un ensayo de cuando menos una cuartilla en donde expreses los cambios que tendrías en tu vida si te incorporaras a una actividad laboral remunerada a partir del próximo lunes; incluye tanto los aspectos positivos como los negativos. Además, analiza los cambios o ajustes que debes hacer respecto a tus actividades diarias, a las familiares y sociales.

Amplía tu ensayo con imágenes o fotografías en donde muestres el panorama antes de trabajar y luego de incoporarte al trabajo.

LA DEFINICIÓN DEL OBJETIVO

Hay una fuerza motriz más poderosa que la del vapor,
la electricidad y la energía atómica: la voluntad.

ALBERT EINSTEIN

Para iniciar

Para llegar a algún lugar tenemos que saber, primero, dónde estamos; no podemos recorrer un camino si no conocemos adónde lleva éste, ni mucho menos si no sabemos adónde vamos. Por ello, es importante que iniciemos definiendo dónde estamos, y en el caso de la búsqueda de un empleo, debemos hacer un claro reconocimiento de quiénes somos, cuáles son nuestras fortalezas y nuestras áreas de oportunidad.

Ayuda mucho que te plantees las siguientes interrogantes:

- ¿Quién soy yo?
- ¿Cuáles son mis actitudes?
- ¿Qué es lo que sé?
- ¿Qué sé hacer?
- ¿Qué puedo hacer?
- ¿Cuáles son mis capacidades?
- ¿Qué es lo que quiero hacer?
- ¿Cuáles son mis intereses personales?

Pero también es importante que te preguntes y respondas con honestidad lo siguiente:

- ¿Qué es lo que no sé hacer?
- ¿Qué es lo que no me gusta hacer?
- ¿Qué es lo que no puedo hacer?
- ¿Qué cosas no me interesa realizar?
- ¿Cuáles son las actitudes que tengo que mejorar?

Así podrás establecer una definición de lo que eres tú y de lo que puedes representar como trabajador para una empresa; esto también te permitirá identificar los sectores de producción, las empresas y los puestos de trabajo a los que puedes y quieres aspirar a ocupar para tener un desempeño realmente productivo y satisfacción personal.

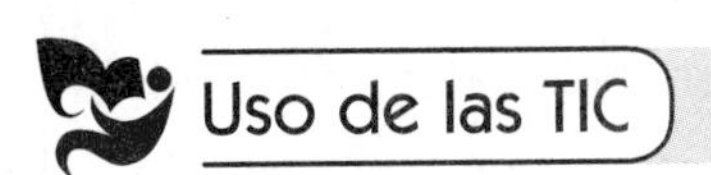

En tu portafolio de evidencias define lo que es un procesador de textos, las características que estos programas tienen y las marcas más comunes en el mercado. Apóyate en tu facilitador del área de Informática para obtener más detalles al respecto.

Ahora, vincula esta información con los conocimientos de esta asignatura. ¿Por qué consideras que es importante conocer los procesadores de textos para buscar un trabajo? ¿Por qué algunas empresas solicitan que el interesado en ocupar un puesto de trabajo conozca estos programas? En tu caso, ¿qué funciones del procesador de textos consideras que son las más importantes para desempeñar el puesto y la profesión que te gustaría ocupar?

Además del procesador de textos, ¿existen otros programas de uso común en la profesión que te interesa? Investiga para responder las preguntas anteriores, aplicadas ahora a cada programa que menciones.

Conocimientos

EL PERFIL PROFESIONAL O LABORAL

Mediante el perfil profesional puedes establecer tus objetivos personales para detallar tu objetivo laboral, es decir, lo que puedes hacer, cómo lo quieres hacer y dónde lo vas a hacer; dicho de otra manera, en qué puedes trabajar, cómo quieres trabajar y dónde te gustaría trabajar.

Así, plantear un objetivo claro y bien definido te permite optimizar los recursos con que cuentas y dar un sentido bien dirigido hacia donde quieres orientar tus esfuerzos; con ello incrementarás las posibilidades de encontrar una fuente laboral acorde con lo que buscas.

Es importante que te fijes metas claras y realistas, con ideas bien definidas que te permitan articular tus acciones y así puedas alcanzarlas realmente. Estas metas pueden ser a inmediato, corto, mediano y largo plazos.

Veamos un ejemplo.

Meta	*Acción*
Inmediata	Elaborar mi *curriculum vitae* (CV).
Corto plazo	Seleccionar los posibles centros de trabajo en donde pueda buscar y solicitar trabajo.
Mediano plazo	Obtener un trabajo en donde pueda adquirir experiencia y demostrar mis capacidades y actitudes.
Largo plazo	Obtener un ascenso en el mismo trabajo o incrementar mis ingresos económicos, o como segunda opción, encontrar otra empresa en la que pueda demostrar mi capacidad, aptitudes, actitudes, conocimientos y experiencia y, con ello, lograr un mejor ingreso económico.

Para definir con mayor claridad tu perfil profesional, puedes hacerte las siguientes preguntas:

- ¿Qué áreas o funciones me gustaría desarrollar? *Posibles respuestas* (alguna puede ser diferente): comercial, administración, ingeniería, oficina, de campo, informática, ventas, salud, docencia, etcétera.

- **¿Cuál es el sector productivo en el que me gustaría trabajar?** *Posibles respuestas* (puede ser una que no se incluya aquí). Existen dos grandes grupos: productivos y de servicios, y éstos, a su vez, se integran de muchos más. Son ejemplos de sectores productivos el turismo, transporte, servicios, seguridad, metalmecánica, ingeniería, salud, enseñanza, legal, administración, comercial, energía, moda, vestido, servicios personales, alimentos, servicio social, etcétera.
- **¿En qué tipo de empresa u organización me gustaría trabajar?** *Posibles respuestas*: una empresa pequeña, mediana o grande. También se puede pensar en opciones como integrarse a actividades o negocios familiares o bien a instituciones gubernamentales.
- **¿Dónde me gustaría trabajar?** *Posibles respuestas*: "Lo más cerca de mi casa", "No me importaría tener que recorrer alguna distancia", "Podría cambiar de residencia", "Me gustaría estar viajando", "No tendría un lugar fijo de trabajo", "Tendría un lugar fijo de trabajo", "Permanecería en una oficina", "Podría desplazarme en la comunidad (por ejemplo, ventas o reparto)", etcétera.
- **¿Cómo te gustaría que fuese tu ingreso económico?** *Posibles respuestas*: "Con un ingreso seguro", "Con ingreso base bajo, pero con incentivos altos de productividad", "Con grandes ingresos por comisiones de acuerdo con mi trabajo", "Con altas prestaciones sociales", etcétera.

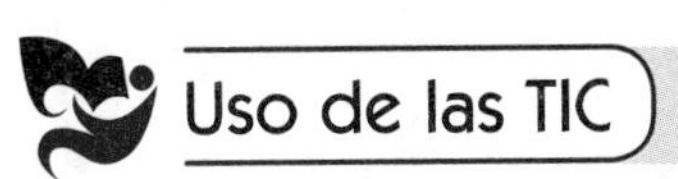

¿Conoces una agenda ejecutiva? Investiga en internet y en los programas de la computadora la estructura básica de una agenda y el tipo de información que maneja. ¿Realmente ayuda a la organización de las actividades de las personas?
En la agenda de tu teléfono celular o computadora, o en una agenda de papel, registra las fechas que, de acuerdo con el calendario escolar, son importantes para tu desempeño académico: señala el inicio y el fin de curso, los periodos de vacaciones y de exámenes, las fechas de inscripciones y cualquier evento significativo.

Con la información que obtengas al responder estas preguntas podrás establecer tu perfil profesional. Un ejemplo de perfil profesional puede ser el siguiente:

> Trabajar como auxiliar de ventas y reparto de productos de consumo, es decir, alimentos de una empresa que tenga un buen nombre e imagen de marca, pero que la zona de influencia sólo abarque mi comunidad y, tal vez, ocasionalmente, algunos sectores cercanos, de manera que mi ingreso económico tenga un sueldo base, que aunque sea básico, sea compensado con las comisiones que me otorguen por altas ventas.

Estudio de caso

Lee el siguiente estudio de caso y da respuesta a las interrogantes que se plantean.

Jorge Miguel no sabe cómo pedir empleo

Jorge Miguel tiene 19 años y está muy contento porque acaba de concluir su bachillerato tecnológico en Informática. Si bien es cierto que en algunas asignaturas sacó bajas calificaciones, se siente satisfecho con el gran esfuerzo que hizo para terminar. Cuando su madre, la señora Eugenia, le dijo que era momento de solicitar empleo, Jorge Miguel se llenó de incertidumbre, pues no sabía ni por dónde comenzar.

¿Tú qué respuesta darías a las siguientes preguntas, las cuales se hizo Jorge Miguel cuando vio que era momento de buscar un empleo?

1. ¿Cómo le voy a hacer si no tengo experiencia?

____

____

2. ¿Por dónde comienzo la búsqueda?

____

____

3. ¿Qué puede interesarle a los empleadores de la gente sin experiencia laboral?

____

____

4. ¿Y si no me aceptan?

____

____

Escribe seis oraciones significativas sobre los mitos y las verdades acerca de conseguir empleo.

____

____

____

____

____

____

Habilidades

En tu portafolio de evidencias elabora tu perfil laboral, en el que detalles cada uno de los siguientes puntos; tienes que ser lo más explícito posible:

- ¿Quién soy yo?
- ¿Cuáles son mis actitudes?
- ¿Qué es lo que sé?
- ¿Qué sé hacer?
- ¿Qué puedo hacer?
- ¿Cuáles son mis capacidades?
- ¿Qué es lo que quiero hacer?
- ¿Cuáles son mis intereses personales?
- ¿Qué es lo que no sé hacer?
- ¿Qué es lo que no me gusta hacer?
- ¿Qué es lo que no puedo hacer?
- ¿Qué cosas no me interesa realizar?
- ¿Cuáles son las actitudes que tengo que mejorar?

¿Quién soy actualmente? Reflexiona un momento y escribe en tu cuaderno qué diferencias encuentras de ti actualmente comparado con el que eras hace cuatro años, cuando cursabas la secundaria. Para escribir las diferencias, responde lo siguiente:

1. ¿En qué he cambiado físicamente?
2. ¿Cómo era mi carácter en la secundaria y cómo es ahora?
3. ¿Cómo me divertía antes y cómo lo hago ahora?

Para concluir, escribe a qué crees que se deban estos cambios y cómo puedes sacar provecho de tu transición, de abandonar la adolescencia y convertirte en adulto.

Valores y actitudes

En tu portafolio de evidencias elabora un programa de acciones para la búsqueda de trabajo, en el que detalles ampliamente:

- La meta inmediata.
- La meta a corto plazo.
- La meta a mediano plazo.
- La meta a largo plazo.

Lo importante es que lo proyectes de la manera más clara posible, aunque posteriormente hagas algunos cambios o modificaciones.

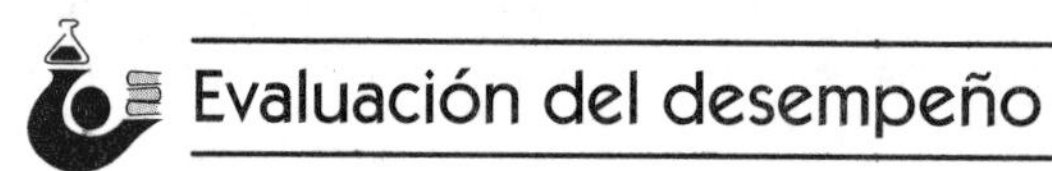

Evaluación del desempeño

En tu portafolio de evidencias elabora un mapa conceptual en el que expreses de manera gráfica tu perfil profesional o laboral. Refuerza la gráfica con imágenes que representen cada uno de los puntos que abordes.

Asimismo, elabora un ensayo de, cuando menos, una cuartilla en el que expreses las ventajas y los beneficios que encuentras al establecer con mayor claridad tus metas de vida a inmediato, corto, mediano y largo plazos. Apoya tus ideas con imágenes que expresen cada una de tus metas.

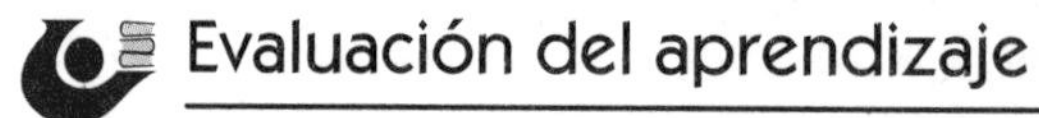

Evaluación del aprendizaje

Autoevaluación

Consulta, en la sección "Metodología de este libro", la escala de evaluación en la página 15, para que consideres la escala con que evaluarás los siguientes desempeños.

Desempeños	*Puntaje*	*Compromiso que puedo establecer para mejorar mi desempeño*
1.3. Eliges alternativas y cursos de acción con base en criterios sustentados en el marco de un proyecto de vida.		
1.4. Analizas críticamente los factores que influyen en tu toma de decisiones.		
1.6. Administras los recursos disponibles teniendo en cuenta las restricciones para el logro de tus metas.		
4.1. Expresas ideas y conceptos mediante representaciones lingüísticas, matemáticas o gráficas.		
4.3. Identificas las ideas clave en un texto o discurso oral, e infieres conclusiones a partir de ellas.		

4.5. Manejas tecnologías de la información y la comunicación para obtener información y expresar ideas.		
6.1. Eliges las fuentes de información más relevantes para un propósito específico, y discriminas entre ellas de acuerdo con su relevancia y confiabilidad.		
6.3. Reconoces los propios prejuicios, modificas tus puntos de vista al conocer nuevas evidencias, e integras nuevos conocimientos y perspectivas al acervo con el que cuentas.		
6.4. Estructuras ideas y argumentos de manera clara, coherente y sintética.		
7.1. Defines metas y das seguimiento a tus procesos de construcción de conocimiento.		
7.3. Articulas saberes de diversos campos y estableces relaciones entre ellos y tu vida cotidiana.		
8.2. Aportas puntos de vista con apertura y consideras los de otras personas de manera reflexiva.		
8.3. Asumes una actitud constructiva, congruente con los conocimientos y las habilidades con los que cuentas dentro de distintos equipos de trabajo.		

1. De este bloque, ¿qué fue lo que te agradó más?

____

____

____

2. ¿Lo que aprendiste en este bloque, ¿puedes aplicarlo en tu vida?
Justifica tu respuesta.

____

____

____

3. Para conocer con mayor profundidad y amplitud lo visto en este bloque, sobre qué otros temas podrías investigar? Menciona por lo menos tres:

a) ____

____

b) ____

____

c) ____

____

4. Lo que viste en este bloque, ¿ayudó de alguna forma a cambiar tu actitud? ¿Por qué?

____

____

____

____

____

5. Tu aprendizaje, que incluye las actitudes, esfuerzos y cambios personales, lo evalúas en forma general como: ____________ debido a que: ______________________

____

____

____

____

____

Coevaluación

	Concepto	*Muy mal*	*Mal*	*Indistinto*	*Bueno*	*Muy bueno*
1	En el transcurso de este bloque se mostró participativo con **actitud** positiva.					
2	Brindó **atención** a las explicaciones que propuso el facilitador y a las participaciones de los compañeros de clase durante este bloque.					
3	Se mostró **participativo** con todo el grupo, en especial con los equipos con los que ha trabajado.					
4	Mejoró la **comunicación** con los compañeros, tanto en expresiones como en ideas e intenciones.					
5	Se condujo con **honestidad** y **sinceridad**.					

Heteroevaluación

El facilitador evaluará en el siguiente cuadro el alcance que el estudiante ha mostrado en el logro de competencias, marcando el nivel correspondiente de acuerdo con su observación durante la clase y tomando en cuenta el desarrollo durante las actividades, la evaluación de desempeño y las evidencias de aprendizaje.

Describes de manera organizada y con certeza el perfil objetivo para dar inicio al proceso de búsqueda de trabajo, el cual te permitirá encontrar la oferta que mejor satisfaga tus expectativas personales y profesionales.

Pésimo	*Deficiente*	*Regular*	*Bueno*	*Excelente*

Bloque II

Documentos de presentación

Competencia de bloque

Elaboras tu currículum y tu carta de presentación, lo que te permitirá presentarte adecuadamente como un posible candidato ante los responsables del proceso de selección de una empresa.

Atributos de las competencias genéricas

1.3. Eliges alternativas y cursos de acción con base en criterios sustentados en el marco de un proyecto de vida.
1.4. Analizas críticamente los factores que influyen en tu toma de decisiones.
1.5. Administras los recursos disponibles teniendo en cuenta las restricciones para el logro de tus metas.
4.1. Expresas ideas y conceptos mediante representaciones lingüísticas, matemáticas o gráficas.
4.3. Identificas las ideas clave en un texto o discurso oral, e infieres conclusiones a partir de ellas.
4.5. Manejas tecnologías de la información y la comunicación para obtener información y expresar ideas.
6.1. Eliges las fuentes de información más relevantes para un propósito específico y discriminas entre ellas de acuerdo con su relevancia y confiabilidad.
6.3. Reconoces los propios prejuicios, modificas tus puntos de vista al conocer nuevas evidencias, e integras nuevos conocimientos y perspectivas al acervo con el que cuentas.
6.4. Estructuras ideas y argumentos de manera clara, coherente y sintética.
7.1. Defines metas y das seguimiento a tus procesos de construcción de conocimiento.
7.3. Articulas saberes de diversos campos y estableces relaciones entre ellos y tu vida cotidiana.
8.2. Aportas puntos de vista con apertura y consideras los de otras personas de manera reflexiva.
8.3. Asumes una actitud constructiva, congruente con los conocimientos y las habilidades con los que cuentas dentro de distintos equipos de trabajo.

Para reflexionar

Lee la siguiente narración.

Rosa María está por terminar la preparatoria; cursa el último semestre. Si bien sus calificaciones no son extraordinarias, tampoco son bajas, y no ha reprobado materias. Desea continuar su preparación académica, estudiar en la universidad; para ello, ya solicitó una ficha para presentar el examen de ingreso a dos carreras de la universidad del estado.

Aunque por su calificación promedio es muy posible que obtenga una beca de apoyo económico mensual y si bien las cuotas de la institución son muy bajas, el ingreso económico de la familia de Rosa María no podría cubrir todos los gastos que implica estudiar una carrera universitaria. Todo esto le ha llevado a tomar la determinación de incorporarse a la vida laboral, y aunque siempre ha sido productiva, ya que siempre ha estudiado, hoy quiere obtener un ingreso económico que le permita solventar los gastos de la universidad.

Así, Rosa María emprendió la búsqueda de trabajo. Recordó que cerca de su casa había un letrero con el que se solicitaban trabajadores. Entonces, se presentó en el lugar, y el vigilante le dijo que en ese momento no tenían ninguna vacante disponible; el anuncio era ya muy viejo, y por descuido no lo habían retirado. Sin embargo, el vigilante le dijo que a la vuelta de la manzana había una empresa que solicitaba colaboradores, y le recomendó que echara un vistazo.

Rosa María dio fácilmente con la otra empresa, la cual, en efecto, entrevistó y contrató personal durante la mañana. Desafortunadamente, justo antes de la llegada de Rosa se ocupó la última vacante disponible. De cualquier forma, el personal que le recibió le pidió sus datos para que la contactaran en caso de que se abrieran nuevas vacantes, pues la empresa se hallaba en continua expansión y requería personal con cierta frecuencia. Rosa María llenó un formato con su nombre, su teléfono y correo electrónico.

Sin saber qué más hacer, regresó a su casa a esperar a que la llamaran. Tres días después, una vecina le comentó que pasó por la empresa y se percató de que estaban contratando nuevamente, por lo que Rosa María se presentó de inmediato y pidió que la entrevistaran para las plazas que estuvieran disponibles. No fue grata la sorpresa que se llevó cuando el personal de recepción le dijo que no era posible entrevistarla porque desconocían todo de ella: no tenían la certeza de si sabía hacer, cuáles eran sus conocimientos y aptitudes, ni la experiencia con que contaba; qué estudios había realizado, la edad que tenía y ni mucho menos el puesto y el salario que pretendía.

Contesta, bajo tu criterio, las siguientes preguntas y discútelas con tus compañeros de grupo. Sustenta tu punto de vista.

1. ¿Consideras que Rosa María contaba con la capacidad o los estudios para trabajar?

____

____

2. ¿Consideras que Rosa María contaba con un plan estructurado para buscar trabajo? ¿Qué pudo haber hecho para tener una mayor efectividad?

____

____

3. ¿Crees que la empresa tuvo razón al no recibir a Rosa María por desconocer todo de ella?

____

____

4. ¿Cómo consideras que Rosa María podía haber dado a conocer a la empresa todo lo que era capaz de hacer?

____

____

5. ¿Cuentas con un recurso como el que requiere Rosa María para buscar trabajo? ¿Por qué?

____

____

LA SOLICITUD DE EMPLEO

> Intenta no volverte un hombre de éxito,
> sino volverte un hombre de valor.
>
> ALBERT EINSTEIN

Para iniciar

Se entiende por **solicitud** a un pedido; la palabra procede del latín *sollicitare*, y refiere a 'pedir, pretender o buscar algo'. Por otra parte, **empleo** se utiliza con diferentes significados; en este caso el referente que nos interesa es el de nombrar una ocupación, trabajo u oficio.

Así, entenderemos por **solicitud de empleo** aquel documento o carta que una persona presenta a una empresa u organización con el motivo de anunciarse o postularse como candidato para ocupar algún puesto laboral dentro de ésta. En nuestro país conocemos popularmente la solicitud de empleo como un formato impreso que suele conseguirse con facilidad en papelerías u otras tiendas. El candidato llena el formato, por lo general, a puño y letra, incluyendo información personal básica, de manera muy resumida, con el fin de darla a conocer a la empresa para que ésta evalúe la posibilidad de contratarlo de acuerdo con su perfil e historia laboral.

Conocimientos

Existen diferentes modelos o tipos de solicitud de empleo; algunas empresas cuentan con un formato personalizado, si bien en la mayoría de los casos se aceptan aquellos que pueden comprarse en cualquier papelería o tienda similar.

Por lo general, la solicitud de empleo se requiere para la colocación de puestos de trabajo técnicos, de operarios o de escolaridad máxima de preparatoria; para puestos de profesionistas o directivos, en cambio, suele pedirse más el *curriculum vitae*. Aunque no existe una regla o norma al respecto, en algunas empresas para el manejo de información en el proceso de reclutamiento y selección de personal, se pide a los candidatos que presenten *curriculum vitae* y que, además, llenen una solicitud de empleo donde puedan administrar la información personal de una manera más fácil. El tipo de documentación que solicite una u otra empresa dependerá siempre de sus políticas de contratación.

El currículum vitae se verá con detalle en el siguiente tema de este bloque.

Pero es un hecho también, que en el caso de algunos trabajadores técnicos, usan el currículum en virtud de que es importante detallar la experiencia y capacidad que se ha tenido en los trabajos y que en una solicitud de empleo no hay espacio suficiente.

Uso de las TIC

Consulta en internet tu CURP (Clave única de registro de población) e imprime, cuando menos, dos copias. Este documento te servirá para realizar muchos trámites personales. ¿Cuáles consideras, sin investigar previamente, que serían los más importantes?
Y ya que estamos en este asunto, ¿qué le dirías a un empleador que te pidiera tu número o clave de RFC? ¿Sabes qué significa? ¿cuándo puedes tramitarlo o quién lo asigna? Investiga en la red, en diferentes páginas, tanto de gobierno como blogs o foros que traten el tema.

REGISTRO NACIONAL DE POBLACIÓN

Esta Clave Única de Registro de Población se expide con base en los datos que identifican su documento probatorio:

Actividad. Reflexiona en las capacidades que has desarrollado hasta este momento, y que consideres que puedan ser útiles para desempeñar un trabajo. Escribe en las líneas tus posibles virtudes como trabajador; por ejemplo: "Soy una persona puntual...", "Me gusta trabajar en equipo...", "Utilizo redes sociales en internet..."

____

____

____

____

____

Escribe aparte todos los resultados de tu reflexión y guárdalos en tu portafolio de evidencias, pues más adelante los utilizarás, cuando redactes tu *curriculum vitae*.

Una solicitud de empleo se integra de diferentes grupos de información, como los siguientes:

- **Expectativas laborales** (Aunque no se maneja propiamente con ese título). Describe el puesto que se busca y la pretensión económica (salario deseado) del solicitante.
- **Datos personales.** Incluye el nombre(s), la edad, el sexo, el estado civil, la nacionalidad y las personas que dependen del candidato o interesado. Asimismo, refiere a datos de ubicación y localización, como dirección, números de teléfono fijo y celular, y correo electrónico.
- **Identificación personal.** Características personales como estatura, peso, lugar de nacimiento, además de la fotografía.
- **Documentación.** La relación laboral es un vínculo legal; por ello, hay que sustentarla con documentos y datos personales con validez oficial como la CURP, la Afore (administradora de fondos para el retiro), el RFC, el número de seguridad social, la cartilla militar (obligatoria en hombres), el pasaporte, la licencia de manejo y, en el caso de extranjeros, el número o clave de permiso para trabajar legalmente en el país.
- **Estado de salud y hábitos personales.** Se pregunta al interesado sobre su condición de salud (cómo considera su estado, y si padece alguna enfermedad crónica); igualmente, se pide indicar si el interesado practica algún deporte y cuáles serían sus pasatiempos.
- **Datos familiares.** Para conocer un poco de la familia del candidato se pide el nombre, el domicilio y la ocupación del padre, de la madre, del cónyuge y de los hijos. También se solicita que el interesado indique si estos familiares viven o son finados (han fallecido).
- **Preparación académica.** Se pide una lista de las escuelas en las que el candidato o interesado ha realizado sus estudios, y la preparación (certificada) que ha obtenido en cada caso o nivel aca-

démico. Este listado no sólo debe abarcar el historial escolar regular (esto es, primaria, secundaria, preparatoria, profesional o capacitación para el trabajo), sino también los cursos de formación continua, como idiomas, o de aprendizaje de habilidades específicas, como cursos de computación. Con el fin de conocer la disponibilidad del candidato, en la solicitud se pregunta si éste se encuentra estudiando en el momento de solicitar el empleo.

- **Conocimientos generales.** Para fortalecer y resaltar lo que puede hacer el candidato, se pide especificar algunas habilidades, capacidades o conocimientos específicos.

> Recuerda que cuando solicites empleo habrá más personas concursando por obtener el trabajo. Por eso, una manera de sobresalir del resto de los aspirantes es tomar diferentes cursos de capacitación, talleres y diplomados que te mantengan a la vanguardia y te permitan ser más competitivo.

- **Experiencia laboral.** En esta sección del documento se asienta la información referente a los trabajos que se han desarrollado. Debe anotarse el periodo de duración de cada trabajo, con fechas precisas de ingreso y egreso, el puesto ocupado, el nombre de la empresa y del jefe inmediato, el sueldo recibido y el motivo por el cual terminó la relación laboral. Es importante anotar el sueldo con el que se inició en el trabajo y con el que se terminó, para poder conocer algo del desempeño realizado.
- **Referencias laborales.** Se incluye el nombre del superior, del jefe inmediato o de un colega junto con su puesto y tiempo de conocerle, además de los datos de contacto para que la empresa contratante pida información sobre el desempeño del candidato que presenta la solicitud. Si bien no existe un compromiso legal cuando se proporcionan dichas referencias, sí se genera una responsabilidad moral por parte del interesado.
- **Datos generales.** En este rubro se pretende conocer la disponibilidad del candidato para desempeñar un trabajo, es decir, si puede o no cambiar de residencia, si puede o no viajar con frecuencia, si puede comenzar a trabajar de inmediato, etcétera.
- **Datos económicos.** Se incluyen algunas preguntas relacionadas con la situación económica actual del candidato o interesado. Es un estudio socioeconómico básico en el que se pide información sobre la posesión de bienes inmuebles y materiales (por ejemplo, si el interesado cuenta o no con automóvil propio, o si vive en casa propia o rentada).
- **Firma.** Signar o firmar un documento significa responsabilizarse de lo que allí se manifiesta y de tener sentido de veracidad.

Veamos, ahora, un ejemplo de solicitud de empleo.

Solicitud de Empleo

Favor de llenar esta solicitud en forma manuscrita
Nota: La información aquí proporcionada será tratada confidencialmente

Fecha / /

Puesto que solicita

Sueldo mensual deseado

Fotografía reciente

DATOS PERSONALES

Apellido paterno	Apellido materno	Nombre (s)		Edad años
Dirección	Colonia	Código postal	Teléfono	Sexo ○ M ○ F
Lugar de nacimiento			Fecha de nacimiento	Nacionalidad ○ M ○ E
Vive con: ○ Sus padres ○ Su familia ○ Parientes ○ Otros			Estatura	Peso Kg.
Personas que dependen de usted ______ Hijos ______ Cónyuge ______ Padres ______ Otros			Estado civil ○ Soltero ○ Casado	Otro

DOCUMENTACIÓN

Clave Única del Registro de Población (CURP)		AFORE	
Reg. Fed. Contribuyentes	Número de Seguro Social	Cartilla Servicio Militar	Pasaporte No.
Licencia de manejo ○ No ○ Sí	Clase y número de licencia	Si es extranjero qué documentos le permite trabajar en el país.	

DATOS PERSONALES

Actualmente ¿Cómo considera su estado de salud? ○ Bueno ○ Regular ○ Malo	¿Padece alguna enfermedad crónica?	
¿Qué deporte práctica?	¿Pertenece a algún Club Social Deportivo?	¿Cuál es su pasatiempo favorito?
¿Cuál es la meta en su vida ?		

DATOS FAMILIARES

Nombre	Vive	Finado	Dirección	Ocupación
Padre				
Madre				
Esposa (o)				
Nombre y edades de los hijos				

ESCOLARIDAD

Nombre de la escuela	Dirección	Fechas De	Fechas A	Años	Título recibido
Primaria					
Secundaria					
Preparatoria					
Profesional					
Comercial u otras					

Estudios que efectúa en la actualidad
Escuela ______ Horario ______ Curso o carrera ______ Grado ______

CONOCIMIENTOS GENERALES

Que Idiomas domina	Que funciones de oficina domina
Máquinas de oficina o taller que sepa manejar	Software que domina
Otras funciones	

EMPLEO ACTUAL Y ANTERIORES

Concepto	Empleo anterior	Empleo anterior	Empleo anterior	Empleo anterior
Tiempo que prestó sus servicios				
Nombre de la compañía				
Dirección				
Teléfono				
Puesto que desempeñaba				
Sueldos				
Motivo de separación				
Nombre de su jefe directo				
Puesto de su jefe directo				

Podríamos solicitar informes de usted ◯ Sí ◯ No ¿Por qué?

REFERENCIAS PERSONALES

Nombre	Dirección	Teléfono	Ocupación	Tiempo de conocerlo

DATOS GENERALES

¿Cómo se enteró de este empleo?
◯ Anuncio ◯ Otro medio (anótelo)

¿Algún pariente trabaja en esta empresa?
◯ No ◯ Sí (Nómbrelos)

¿Ha sido afianzado?
◯ No ◯ Sí (Nombre de la compañía)

¿Ha estado afiliado a algún sindicato?
◯ No ◯ Sí ¿A cuál?

¿Tiene seguro de vida? Suma asegurada
◯ No ◯ Sí $

¿Podría viajar?
◯ No ◯ Sí

¿Estaría dispuesto a cambiar su lugar de residencia?
◯ Sí ◯ No (Razones)

¿En que fecha podría presentarse a trabajar?

DATOS ECONÓMICOS

¿Tiene otros ingresos? Importe mensual
◯ No ◯ Sí $

¿Su cónyuge trabaja? Percepción mensual
◯ No ◯ Sí $

¿Vive en casa propia? Valor aproximado
◯ No ◯ Sí $

¿Paga renta? Renta mensual
◯ No ◯ Sí $

¿Posee automóvil propio? Marca Modelo
◯ No ◯ Sí

¿Tiene deudas? Importe
◯ No ◯ Sí $

¿Cuánto abona mensual?
$

¿A cuánto ascienden sus gastos mensuales?
$

Observaciones del entrevistador

Hago constar que mis respuestas son verdaderas

____
Firma del solicitante

Sueldo mensual autorizado

$ ______________________

Autorización

____
Firma y fecha

Consejos para el llenado de una solicitud de empleo

Para algunas personas, llenar una solicitud de empleo resultará muy sencillo; para otras, en cambio, podrá parecer complicado. Los siguientes datos y recomendaciones te ayudarán a simplificar en buena medida el llenado de este formato; en esencia, se trata de que comprendas bien cada concepto y la función que desempeña cada sección de la solicitud.

- Es muy probable que antes de encontrar un trabajo tengas que entregar muchas solicitudes de empleo en diferentes lugares. Por ello, te recomiendo llenar una solicitud que te sirva de modelo para copiar la información en el momento de llenar otras solicitudes. Es decir, elabora un machote (o plantilla) para que de ahí obtengas toda la información, y de esta forma, no tengas que consultar todos tus documentos cada vez que llenes una solicitud.
- Siempre llena toda la solicitud a mano. La letra manuscrita expresa tu forma de ser, por lo que tienes que ser muy limpio y cuidadoso, además de cuidar la ortografía y la legibilidad, o claridad en lo que escribes y dices. No uses lápiz, sino bolígrafo o pluma de un solo color de tinta, que puede ser azul o negra. Otros colores de tinta restan claridad visual y son informales.
- En la solicitud, registra la fecha en que entregarás el formato en el área de reclutamiento o de recursos humanos, no la fecha en que lo llenaste. Esa fecha permitirá conocer cuánto tiempo llevas participando en el proceso de reclutamiento.
- De preferencia utiliza una fotografía reciente; nunca uses fotografías que tengan más de uno o dos años de antigüedad. Cuida que tu fotografía exprese una imagen agradable de ti, sin caer en la informalidad; ten siempre presente que es tu carta de presentación. Por ello, procura vestir con colores sobrios o neutros, y llevar atuendos acordes con el ambiente laboral al que te diriges; lleva un corte de cabello que no tape tu rostro (cabello corto o recogido); evita accesorios como aretes o anteojos; y, en el caso de los hombres, trata de estar bien afeitado. Si fuese muy costoso usar fotografías de estudio en cada solicitud de empleo, puedes escanear una fotografía profesional y reproducirla con una buena impresión; esto podría significarte algún ahorro.

  Nota adicional: no utilices fotografías del teléfono celular o de una cámara casera; tampoco recurras a las fotografías que utilizas en tus redes sociales, ya que éstas no cubren el perfil de formalidad que solicitan las áreas de reclutamiento de personal.

- Cuida siempre escribir tu nombre completo y correctamente, sin abreviaturas. Inicia por tu apellido paterno, seguido del materno y finaliza con tu nombre o nombres, según corresponda.
- Cuida que la información relacionada con tu dirección sea totalmente legible.
- Aunque, por lo general, sólo se te pide un número de teléfono, es altamente recomendable que incluyas otro en el que te puedan dejar recados. Éste debe ser de una persona con la que tienes comunicación frecuente o que viva cerca de tu casa; además, es necesario que le informes a esta persona que podrían llamarte con respecto a una entrevista de trabajo. También puedes incluir tus números telefónicos de casa y de celular; si sólo tienes éste último, busca uno donde te puedan dejar recados. Muchas personas, por diferentes motivos, no contestan llamadas de números que no conocen; hoy deberás estar preparado para atender todas las llamadas que recibas.
  De igual manera, el personal de reclutamiento podría solicitarte una dirección de correo electrónico. Escríbela con la mayor claridad posible; recuerda que al utilizar estas direcciones suelen confundirse los dígitos con algunas letras, y se malinterpretan algunos símbolos o caracteres especiales. Una vez que entregues una solicitud con tu dirección de *e-mail*, debes revisar con frecuencia tu buzón para informarte de cualquier cita laboral a la que seas convocado.
- Tu fecha de nacimiento, por convencionalismos, deberás expresarla de la siguiente manera: día/mes/año.
- Tu estatura deberás expresarla en metros (por ejemplo, 1.75 m) y tu peso, en kilogramos.

> Si tu correo es muy informal, por ejemplo, burbuja21@geekmail.com, abre una nueva cuenta de correo que preferentemente se construya con tu nombre y apellido.

- Estado civil: soltero o casado; en caso de ser otro, debes definirlo.
- Es necesario agregar tu CURP. A partir de 1996, todas las personas adquieren una CURP desde el momento en que nacen.
- La Afore, el RFC y el número de seguridad social se generan una vez que has tenido un trabajo y se te ha dado de alta en el Insituto Mexicano del Seguro Social o El Instituto de Seguridad Social al Servicio de los Trabajadores del Estado (ISSSTE). En tu primer trabajo, es responsabilidad del patrón, es decir, la empresa que te va a contratar, realizar estos trámites. Si no los tienes aún, puedes omitirlos de la solicitud.

- Si ya cuentas con la cartilla militar o la "media cartilla", tienes que anotar el número o folio de ésta; si no la tienes, anota la frase: "No disponible".
- El pasaporte y la licencia de manejo no son documentos obligatorios, pero sí deseables; en caso de que cuentes con ellos, agrega el número o folio correspondiente.
- En la sección relacionada con tus pasatiempos expresa algo real, pero que también denote tu sentido de responsabilidad y deseos de crecimiento. No incluyas actividades como "Chatear", "Videojuegos" o "Pasear con los amigos". Puedes mencionar "Leer novelas de ficción", "Convivencia con la familia", "Participar en los grupos de la iglesia", "Formar parte de un grupo de ayuda social", "Practicar X deporte", etcétera.
- "¿Cuál es tu meta en la vida?". En un renglón debes resumir tus aspiraciones personales, pero incluye, sobre todo, las que van orientadas a una vida productiva en el área laboral. No se muestra aquí ningún ejemplo para motivarte a que elabores una que vaya de acuerdo con tu personalidad y objetivos.
- En "Ocupación de la madre", por lo general se especifica como "Ama de casa". En caso de que tu mamá se dedique a una actividad productiva y remunerada, deberás especificarlo.
- Cuando determinas la ocupación del padre, madre o cónyuge debes definir la actividad que desarrolla. Tanto quienes venden automóviles como quienes venden ropa son comerciantes, pero las actividades son totalmente distintas. No incluyas descripciones como "Trabajador", "Comerciante" o "Profesionista"; utiliza términos como "Oficinista en X dependencia", "Comerciante en la tienda X", "Secretaria recepcionista", etcétera.
- En la sección referente a escolaridad se te pide el nombre de cada institución en que estudiaste sólo para conocer tu trayectoria académica; en general, no es tan relevante la dirección exacta de la escuela. Si no recuerdas la calle y el número, puedes escribir únicamente la colonia.
- Las fechas de inicio y término de los estudios son más relevantes, al igual que el número de años cursados. Si, por ejemplo, mencionaras que terminaste la secundaria en cuatro años, es claro que recursaste alguno de los grados de este nivel, quizá por un pobre desempeño académico o por alguna otra razón, misma que deberá precisarse en la entrevista laboral.
- En el apartado "Título recibido" no anotes "Sí"; debes, en los casos de primaria a preparatoria, anotar "Certificado". Asimismo, como un agregado a tu capacidad y preparación laboral en los casos de secundaria y preparatoria, puedes añadir la certificación en la tecnología o el taller que cursaste. Así, por ejemplo, puedes anotar "Certificado y técnico en ofimática", en el caso de secunda-

ria, y "Certificado y técnico auxiliar contable" en bachillerato. Dado que aún estás cursando el bachillerato, no podrías anotar nada en el renglón de educación profesional; pero en un futuro, si decides continuar y terminar tus estudios en ese grado, tendrías que escribir, por ejemplo, "Licenciado en Derecho Titulado", si contaras con un título y una cédula profesional, o bien, por ejemplo, "Pasante en Ingeniería en Mecatrónica", en caso de que hubieses terminado la licenciatura, pero te faltase presentar el examen profesional que acredita ese título.

- Apartado "Otros estudios". Puede que algunas personas hayan llevado un curso adicional de idioma extranjero, o bien, que se hayan preparado en una actividad específica, por ejemplo, la electrónica, el corte y la confección, o el manejo de alguna paquetería de cómputo; en estos casos, resulta útil portar la información de este tipo mediante dicho apartado. Esto, de alguna manera, favorece tu contratación y permite ubicarte en un área de desempeño que te guste y de la que cuentes con estudios o conocimientos específicos.
- Si tu decisión es continuar con tus estudios y, además, incorporarte ya al mundo laboral, debes coordinar tus esfuerzos y tu tiempo de manera que logres un buen desempeño en ambos contextos. Si ese es tu caso, deberás precisar en la solicitud de empleo que te encuentras estudiando, así como el grado y los horarios que tienes, con el fin de que la empresa determine si se te contrata o no bajo esta condición, y estime las facilidades que se te pueden otorgar para apoyar tus estudios o, por lo menos, no interferir en éstos, al no pedirte que te quedes horas extras en el trabajo.
- En la sección "Conocimientos generales", que tal vez debiera llamarse "Conocimientos específicos", se pretende que incluyas información de conocimientos concretos y demostrables que posiblemente otras personas no tengan, como el manejo de un programa de computación determinado, de maquinaria o equipo, o bien que desempeñes una función laboral que posiblemente en algún momento hayas conocido y desarrollado; por ejemplo: "Venta de teléfonos celulares", "Manejo de caja en supermercado con terminal de punto de venta", "Ventas de mostrador en ferretería", etc. Es importante no confudir estos ejemplos con aquellas actividades que son indispensables en la mayoría de los puestos de trabajo y que deben exigirse a cualquier trabajador, por ejemplo, "Hacer llamadas telefónicas" o "Usar la engrapadora".
- Conocer otro idioma ayuda en la comunicación y mejora el desempeño laboral. Por ello, si tienes conocimiento de uno o varios idiomas extranjeros es importante que lo especifiques, así como el grado o nivel en que lo o los dominas. Esto te permitirá contar con una oportunidad de desarrollo más definida.

- La experiencia laboral, en caso de tenerla, debe incluirse a partir de la más reciente o la actual. En cada caso debe indicarse el periodo de duración del empleo, de preferencia del día que se hizo la contratación hasta el día en que se terminó la relación laboral; en caso de no contar con el dato exacto, se debe anotar, por lo menos, el mes y el año.
- En el apartado del nombre de la compañía evita, de preferencia, las abreviaciones y las siglas. Si bien para ti puede ser muy evidente, el reclutador puede desconocer a lo que te refieres. Por ejemplo, al mencionar tu empleo anterior en Secob, el reclutador, en una lectura rápida, podría entender que trabajaste en Segob (Secretaría de Gobernación) cuando en realidad se trata de la compañía Servicios Comerciales de Becerros. También podría pasar que Secob fuese ampliamente conocida en tu comunidad, pero a unos kilómetros, en otro municipio, fuera totalmente desconocida.
- Se pide la dirección del empleo anterior como una referencia para ubicarlo, y así relacionar toda información con otros aspectos de carácter laboral.

¡Actualízate!

Mientras estés buscando trabajo, te recomiendo que investigues a fondo las empresas donde te gustaría emplearte. Revisa cada uno de los niveles aquí mencionados y recuerda que, entre mayor información tengas de la empresa, mayor posibilidad de éxito tendrás en la entrevista.
Realiza un listado de las empresas que te interesan como meta y revisa cuál es tu misión, para que te asegures de que ésta es compatible con la tuya.

- Es altamente conveniente que incluyas, por lo menos, algún número telefónico de la empresa o trabajo anterior, por si el reclutador considera pedir referencias laborales tuyas.
- Conocer el puesto asignado en cada uno de tus trabajos permite conocer tu trayectoria y, de esta forma, asignarte un puesto de acuerdo con tu experiencia. Aprovecha este pequeño espacio para ser más convincente; no es lo mismo decir que trabajaste en una tienda departamental siendo "Vendedor" que haber trabajado como "Vendedor de apoyo multidepartamental". Eso sí, evita mencionar puestos inexistentes, demasiado pretenciosos o poco creíbles.
- El sueldo percibido en tu empleo anterior debe expresarse, de preferencia, en moneda nacional, y calculado en un monto mensual, aunque los pagos hubiesen sido por semana, quincena o algún otro esquema periódico. De igual manera, especifica el sueldo re-

cibido cuando empezaste a trabajar y el que alcanzaste a percibir al abandonar el trabajo; esto demuestra, de alguna manera, tu capacidad para desempeñar tu función y tus logros alcanzados dentro de la empresa. No es el mismo caso el de alguien que ganaba $ 1000.00 mensuales al momento de iniciar y que después de 5 años recibió un incremento a $ 1500.00, que el de alguien que ganaba $ 800 mensuales en un inicio y que, al cumplir dos años, por sus méritos, comenzó a percibir $ 2500.00.

- Evita decir que te retiraste de tu empleo anterior "Por motivos personales" –que resulta poco claro, genera inquietud en el reclutador, y porque finalmente casi todas las descisiones se basan en un motivo personal–; en su lugar menciona que tu salida se dio con el fin de "Buscar mejores expectativas laborales", "Por diferencias de criterio respecto de mi supervisor", "Por la necesidad de cuidar a un familiar convaleciente de una operación", etc. En la entrevista probablemente se te pedirá detallar más este punto; sólo cuida no hablar mal de la empresa, ni de los elementos con quienes colaboraste o que supervisaron tu trabajo.
- En la solicitud se te pide el nombre y el puesto de tu jefe directo, pues es él quien conoció tu desempeño laboral y quien, por tanto, puede brindar la referencia e información necesaria.
- Las referencias personales son la información de aquellas personas que te conocen y que pueden hablar bien de ti, y que pueden sustentar lo que dices en tu solicitud de empleo, en especial respecto a tu eficiencia, productividad y responsabilidad. Es altamente recomendable que no incluyas a personas con las que tengas algún parentesco, como padres, hermanos, tíos, primos, etc. Además, como ya se comentó, si bien todavía no existe un compromiso legal con la empresa contratante, si está de por medio una responsabilidad moral sobre la información que aportas. Trata de ser muy honesto al respecto.
- "¿Cómo supo de este empleo?" Se pretende obtener información estadística para próximas convocatorias e identificar tu dinamismo para buscar trabajo.
- "¿Tiene parientes trabajando en esta empresa?" Algunas empresas no permiten que dos familiares trabajen juntos. Si no sabes la información, escribe: "Desconozco".
- "¿Ha estado afianzado?" La fianza es similar a un seguro de accidente; respalda tu trabajo y desempeño, y ante un acto que dañe a la compañía, la afianzadora responde económicamente. Se requiere en la contratación de personal que maneja dinero, valores o productos que forman parte de un patrimonio.
- "¿Puede viajar?" En determinados puestos de trabajo es necesario realizar viajes, los cuales pueden ser frecuentes, ocasionales o esporádicos, según el puesto por desempeñar.

Los seis sombreros para pensar

El método de los seis sombreros para pensar, de Edward de Bono, es una herramienta para tomar decisiones que aporta estrategias para pensar en grupo, y para planear una forma organizada de pensar. También se puede dirigir el pensamiento hacia una meta adaptando estrategias hacia propósitos personales.
Se identifican seis formas de pensar:

1. *Neutralidad* (blanco). Considera, puramente, qué información está disponible, ¿cuáles son los hechos?
2. *Sentimiento* (rojo). Tiene reacciones viscerales instintivas o hace declaraciones emocionales.
3. *Juicio negativo* (negro). Aporta una lógica orientada a identificar defectos o barreras, buscando anteponer una objeción.
4. *Juicio positivo* (amarillo). Aporta una lógica orientada a identificar beneficios, buscando armonía.
5. *Pensamiento creativo* (verde). Formula un proceso creativo que lleva y provoca a la investigación, a conocer a dónde lleva un pensamiento.
6. *Proceso de control* (azul). Reflexiona sobre el pensamiento.

Ante cualquier problema que tengas qué resolver te sugerimos que utilices los seis sombreros antes de tomar una decisión. Asimismo, te sugiero que, para tomar decisiones laborales, consultes primero tus respuestas colocándote los seis sombreros.

- "¿Está dispuesto a cambiar de lugar de residencia?" Puede ser que se te contrate para cubrir un puesto en otra ciudad o país, o bien que, de acuerdo con las oportunidades de desarrollo que amerites después de un tiempo en la organización, se te proponga este cambio; la empresa requiere saber quién está dispuesto a ello.
- "¿Tiene otros ingresos?" Permite conocer la disponibilidad o las limitaciones de tiempo, o bien, no tener malas interpretaciones sobre la imagen del trabajador.
- "¿Su cónyuge trabaja?" Al igual que el punto anterior, se pretende conocer sobre la economía familiar.
- "¿Vive en casa propia?" Permite conocer sobre el patrimonio del interesado y la estabilidad o movilidad de vivienda que tiene. Aquí se debe aclarar si la propiedad está totalmente pagada, o si aún se está pagando algún crédito.
- "¿Paga renta?" La economía familiar se ve muy afectada por el pago de renta de una casa habitación, aunque esto, de por sí, pasa aun cuando se tiene una casa propia. Este apartado informa también de una posible inestabilidad de lugar de residencia.

- "¿Tiene automóvil propio?" Esta pregunta puede perseguir tres objetivos: *a*) conocer el crecimiento económico personal; *b*) conocer el medio de transporte que usa el interesado para ir a trabajar, y *c*) de acuerdo con cada situación en particular, si el interesado dispone de un medio de transporte para desarrollar actividades propias del trabajo, como pasa con las ventas.
- "¿Tiene deudas?" Se refiere este punto a aquellas deudas significativas que pudiese tener el interesado, como créditos por bienes muebles generalmente mayores a lo que es un mes de sueldo del trabajador y que se cubren con pagos fijos en periodos superiores a 6 meses, y no por productos de consumo que se cubren con el siguiente sueldo.
- "¿Cuánto abona mensualmente?" Este punto resulta complementario al anterior, y permite conocer, asimismo, el perfil de ahorro del interesado.
- "¿A cuánto ascienden sus gastos mensuales?" Cierra el conocimiento de la economía del candidato, al definir la congruencia entre lo que gana y lo que gasta.
- "Fecha en que pudiera presentarse a trabajar". Permite conocer la disponibilidad del trabajador para integrarse a este nuevo trabajo; si estás desempleado y no hay inconvenientes, puedes escribir "De inmediato"; en el caso de que estés trabajando, puedes pedir que se te otorgue una cantidad determinada de días para que puedas entregar tu puesto actual, en los mejores términos, una vez que se confirme la contratación.
- Por último, recuerda que al firmar la solicitud constatas que la información que has proporcionado es verídica y, por tanto, ésta puede ser comprobable si es requerido.

Habilidades

Consigue una solicitud de empleo, y llena cada una de sus secciones con la información que tengas disponible. Observa las recomendaciones que se te brindaron en este tema; si en algún punto no estás de acuerdo con lo que se te sugiere, coméntalo con todo el grupo y da tus razones. ¿Qué crees que le faltaría preguntar a la solicitud de empleo que conseguiste? Agrega todos tus resultados al portafolio de evidencias.

Valores y actitudes

1. Ahora es momento de que evalúes qué estilos de trabajo han predominado en tu trayectoria académica y qué estilo quieres tener en tu desempeño profesional. En la siguiente tabla encontrarás ocho estilos y dos columnas: una para marcar lo que has sido y otra para lo que quieres ser.

Estilo	*Lo que he sido*	*Lo que quiero ser*
Estilo planificador: es quien todo lo planea antes de tomar una decisión. Estilo ansioso: ocupa mucho tiempo buscando y pensando 1000 alternativas, y al final toda la información le abruma. Estilo diferido: sabe que tiene que tomar una decisión, pero como no sabe cuál opción elegir, retrasa la decisión. Estilo paralizante: sabe que tiene que tomar una decisión, pero no lo hace porque se bloquea. Estilo impulsivo: es quien elige la primera alternativa que alguien le propone sin que reflexione previamente en ello. Estilo intuitivo: es aquel que elige con base en sus presentimientos. Estilo fatalista: es aquel que confía su elección a la suerte o al azar. Estilo sumiso: es aquel que permite que los demás decidan por él.		

Reflexiona, por ejemplo, acerca de la actitud que tienes al trabajar en equipo, y observa si trabajar en equipo es para ti una fortaleza o una debilidad.

2. Identifica las habilidades y actitudes propias para definir el tipo de empleo que deseas buscar. Subraya la opción que consideres más adecuadan a tu perfil y preferencias.

a) Trabajar para una empresa o institución gubernamental. *b*) Trabajar por mi cuenta.

a) En un lugar cerrado. *b*) En la calle o en áreas abiertas.

a) Trabajar en equipo. *b*) Trabajar solo.

a) Atender a público. *b*) No atender a nadie, trabajo interno o administrativo.

a) Trabajar en una actividad que no requiera especialización. *b*) Trabajar en el área de mi especialidad técnica.

a) Trabajar medio tiempo. *b*) Trabajar tiempo completo.

3. En plenaria discute cuáles son las características que debe reunir cada una de las personas que pones como referencia; menciona, cuando menos, cinco características.

a) ______________________________

b) ______________________________

c) ______________________________

d) ______________________________

e) ______________________________

4. Ahora desarrolla tres frases que puedas incluir en la solicitud de empleo en el apartado: "¿Cuál es tu meta en la vida?", y luego comenta con el resto del grupo.

a) ______________________________

b) ______________________________

c) ______________________________

Evaluación del desempeño

1. Solicitud de empleo totalmente llena con datos reales y letra legible.
2. Mapa mental en el que determines la información que se vierte en una solicitud de empleo.

EL *CURRICULUM VITAE*

Vive tratando de realizar muchas de las cosas que siempre has soñado,
y no te quedará tiempo para sentirte mal.

Richard Bach

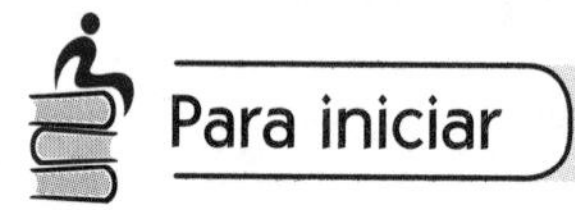

Para iniciar

Curriculum vitae es una expresión de origen latino que en español se interpreta como 'carrera de la vida'. Por simplificación y para fines prácticos, suele utilizarse sólo el término "currículum".

En un currículum se plasman, por lo general, en forma de documento, las experiencias educativas, laborales y vivenciales que una persona ha tenido durante la vida, principalmente orientadas al área laboral. El currículum se utiliza, en esencia, para la búsqueda de empleo o para reseñar la trayectoria profesional o académica de alguien distinguido, por ejemplo, en un evento público (un congreso) o en alguna publicación (revista o libro). Asimismo, puede requerirse un currículum para la realización de algún otro tipo de trámite, como la obtención de una beca académica, por citar un caso.

Aunque en la mayoría de los casos el currículum se caracteriza como un documento meramente descriptivo, llano y textual, esto es, sin muchos elementos visuales o de diseño, en realidad puede ser modificable de acuerdo con cada situación particular, como es el caso de la información de vida de un artista plástico, un diseñador web o un arquitecto. Cada entorno profesional define un tipo de información y un uso creativo del diseño en el documento.

En algunos casos, el currículum se elabora en un programa de presentaciones electrónicas o una página web personal; funciona así, por ejemplo, cuando se menciona la información de artistas o conferencistas. El formato electrónico permite mostrar los aspectos profesionales más importantes de la persona complementados con imágenes e, incluso, videos.

En esta obra revisaremos la forma en que hay que elaborar un currículum que se entrega en forma física a una empresa para la obtención de un trabajo.

Conocimientos

Si bien un currículum laboral es un documento genérico, en algunos casos conviene hacer algunas modificaciones según la empresa o el puesto al que uno se postula como candidato, con el fin de resaltar algunas cualidades que fortalezcan el interés sobre lo que ahí se dice y estimulen la contratación.

Aquí encontrarás los aspectos clave para que elabores un currículum que destaque tus habilidades y capacidades en general.

La elaboración de un currículum puede realizarse en dos etapas: la primera consiste en la selección de la información que se va a presentar, y la segunda, en definir la imagen que se quiere mostrar.

Para atender la primera etapa, el contenido, deben incorporarse, básicamente, los siguientes datos, aunque no necesariamente tienen que mostrarse en este orden:

- Información general y personal.
- Información de localización y contacto.
- Datos de formación académica.
- Experiencia laboral.
- Otra información relevante.
- Autodefinición personal.

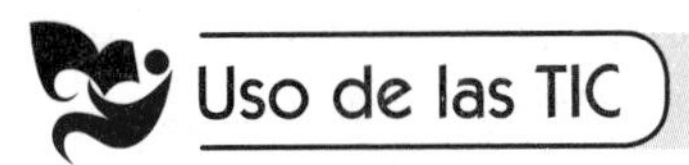

Uso de las TIC

Busca en la web información de cuatro herramientas o programas que puedas usar en la computadora de tu casa o de la escuela y que te permitan redactar, diseñar, comprimir y enviar tu *curriculum vitae* a una empresa o institución. ¿Dominas alguno? ¿Existen otras opciones?
Asimismo, investiga y consulta tres bolsas de trabajo en internet. Revisa su sección "Llena tu currículum en línea" y fíjate qué secciones son consideradas y qué tipo de información se te solicita.

Información general y personal. En esta sección debes incluir tu nombre completo y correctamente, sin abreviaturas; la profesión o el área de trabajo predominante (por ejemplo, "Licenciado en...", "Técnico en...", "Ingeniero en..."), y, asimismo, una fotografía de tamaño credencial, que te permita darle una mayor personalización y formalidad a tu currículum.

> Recuerda que nunca hay mejores oportunidades que las que tendrás en la primera impresión, y esto considéralo respecto al uso de tu fotografía. La tecnología de las cámaras fotográficas o los teléfonos celulares ya te permite realizar muchas pruebas en la que puedes "ensayar" un gesto agradable y sonriente, sin exagerar los estados de ánimo.
> Evita escanear la fotografía de la credencial de elector o recortar la fotografía de la fiesta en la que "sales muy bien", quitando a la pareja que te abraza, pero que tiene su mano en tu hombro. Tiene que ser una fotografía específicamente realizada para el currículum, en la que vistas formal.

Información de localización y contacto. Básicamente, debes incluir tu domicilio particular, teléfono fijo, teléfono celular, correo electrónico, correo electrónico alterno y teléfono de recados.

Datos de formación académica. Se integra de la información de cada una de las escuelas donde has cursado estudios formales y, de preferencia, con validez oficial, aunque también puedes mencionar aquí algunos estudios que no tienen esta última característica, pero que sí brindan elementos para el desempeño laboral, como serían las academias de idiomas, la capacitación para el trabajo o cursos para el desarrollo de algunas habilidades laborales. Revisemos el siguiente ejemplo: deseas solicitar la vacante de mostradora de productos de belleza en un centro comercial y especificas que realizaste un curso de fotografía de un mes; asimismo, mencionas que terminando la secundaria llevaste un curso de capacitación para el trabajo de un año, de corte de cabello y maquillaje. De esta forma estarías manifestando tu interés y que tienes conocimientos de aspectos estéticos que te ayudarían a desempeñar el puesto vacante.

En cada caso deberás incluir el nombre de la institución, los estudios realizados, el periodo en que los cursaste, indicando mes y año, y el grado que obtuviste. En algunos casos (dependiendo del perfil de la empresa a la que te dirigirás) pueden omitirse los estudios que resultan obvios, como la educación preescolar, primaria e incluso secundaria, pues es claro que si estás estudiando el bachillerato, tuviste que haber aprobado los niveles anteriores.

Cuando tu búsqueda laboral corresponde al área de los talleres que has cursado en secundaria o bachillerato (por ejemplo, si buscas trabajo de oficina y en secundaria cursaste el taller de ofimática y en el bachillerato cursaste un taller de contabilidad, puede serte útil mecionarlo como "Certificado de... y diploma como técnico en...".

Si has realizado cursos de algún idioma extranjero o por algún motivo personal lo dominas, es importante que incluyas esta información, especificando el grado de dominio que tienes al respecto. En el caso del idioma inglés, si tienes buen conocimiento, lo puedes expresar mediante los puntos que pudieras haber obtenido en el examen *Toefl* (si lo has presentado); por ejemplo:

Inglés: 897 puntos en examen *Toefl*.

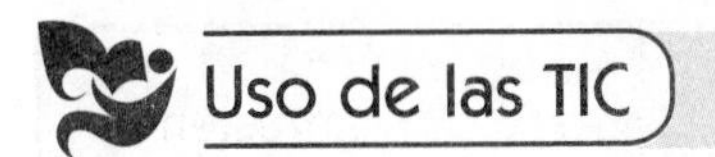

Uso de las TIC

El examen *Toefl* mide tu capacidad de utilizar y entender el idioma inglés al nivel universitario. También evalúa la manera en que puedes combinar tus habilidades auditivas, orales, de lectura y escritura para desarrollar tareas académicas.
Más de 27 millones de personas de todo el mundo han presentado el examen *Toefl* para demostrar su dominio del idioma inglés.
Utiliza la red para investigar más de este examen. ¿Es gratuito? ¿Cómo puedes presentarlo? ¿Qué beneficios te garantiza la aprobación de este examen? ¿Hay otros medios para la evaluación y certificación del idioma inglés?

En caso que no hayas tenido la oportunidad de presentar aún este examen, sí es necesario que expreses el dominio del idioma así:

Inglés: Hablado, 35 %; escrito, 70 %; conversación, 20 %.

Lo mismo aplica para otros idiomas.

Si tu nivel de dominio de un idioma distinto del español es muy bajo o nulo, es mejor no incluir este concepto en tu currículum.

Experiencia laboral. Este es el más importante de todas las secciones del currículum orientado a la búsqueda de trabajo, pues en él se debe reflejar lo que has sido capaz de realizar y cómo lo has aplicado en trabajos anteriores.

Aquí deberás mencionar el nombre correcto y completo de cada empresa, sin abreviaturas (salvo aquéllas como S. A. de C. V., es decir, Sociedad Anónima de Capital Variable); la dirección de la empresa y su teléfono, con el número de extensión en la que se puedan solicitar referencias de tu desempeño. Es importante que incluyas el nombre correcto del puesto que ocupaste y las funciones generales o básicas que tenías.

Debes escribir el periodo exacto en el que trabajaste: mes y año en que iniciaste, y mes y año en que te retiraste de la empresa.

De igual manera si ocupaste diferentes puestos dentro de la misma empresa puedes organizar y presentar la información como si cada puesto fuera una empresa diferente. Por ejemplo:

- Supervisor de producción en la empresa X, en el periodo de fecha Y a fecha Y, con funciones Z y Z logros.
- Gerente de producción en la empresa X, en el periodo de fecha Y a fecha Y, con funciones Z y Z logros.

¡Actualízate!

Recuerda que siempre, en cualquier empleo, tendrás que trabajar en equipo. Para hacerlo exitosamente toma en cuenta lo siguiente:

- La planeación y organización de las actividades del grupo.
- Tener claros los objetivos del trabajo.
- Mantener el respeto entre los integrantes.
- Que la comunicación, oral o escrita, sea abierta y directa entre todos.
- Promover la participación activa de todos los miembros.
- Contar con un ambiente agradable, alejado de distracciones, para que puedan debatir o concentrarse en su actividad.
- Tener tolerancia para escuchar las ideas de todos los compañeros.
- Llegar al consenso para tomar decisiones que beneficien al equipo.

Realiza un escrito de los resultados que, en general, has obtenido en los trabajos en equipo durante tu estancia en el bachillerato.

A continuación estudiaremos lo más importante de un currículum, incluso más que la presentación o la imagen que le puedas dar. Todo lo que redactes de tu experiencia laboral, es decir, las funciones, las responsabilidades, las acciones y los resultados que lograste en tu trabajo anterior, **debe estar cuantificado**; en otras palabras, debe estar expresado o reforzado en cantidades claras. Veamos dos ejemplos que nos ayudarán a comprender este concepto.

No es lo mismo expresar la experiencia laboral en los siguientes términos:

Restaurante La Fondita del Buen Comer
Av. Hidalgo 567, Col. Centro, 55 11 22 33 44
De Enero de 2012 a Diciembre de 2012
Jefe inmediato: Jefe de meseros Juan Antonio Martínez
Puesto desempeñado: Mesero
Funciones: Atender mesas
Motivo de retiro: Intereses personales

que conocer el desempeño laboral de una persona de la siguiente manera:

Restaurante La Fondita del Buen Comer
Av. Hidalgo 567, Col. Centro, 55 11 22 33 44
De Enero de 2012 a Diciembre de 2012
Jefe inmediato: Jefe de meseros Juan Antonio Martínez
Puesto desempeñado: Vendedor de piso
Funciones: Recibir a los comensales al llegar al restaurante, brindarles las promociones del día, tomar la orden de servicio, solicitar la orden a la co-

cina y tramitar la cobranza correspondiente. Al finalizar el turno, en conjunto con todo el personal, hacer la limpieza general.
Logros: Mantener un trabajo de acuerdo con las normas mexicanas (NOM) de manejo de alimentos. Incrementar la asistencia de comensales al centro de consumo en un 7%, pero incrementando el consumo personal en la cuenta en un 18 %; se redujo la devolución de órdenes de servicio de 6.0 a 0.5 %, mientras que los consumos realizados pero no cobrados se redujeron de 8.0 a 2.0 %. Los reclamos por cobros indebidos o entrega de cambio al momento de pago, en el último mes, fueron 0. Con todo esto se logró, en coordinación con todo el equipo, que el centro de trabajo llegara a un crecimiento de 23 % respecto del año anterior.
En el último mes se me asignaron las llaves del negocio para cerrar al final de cada jornada.
Motivo de retiro: Ofrecimiento de capitán de meseros en un restaurante mayor favorecido con un mejor sueldo.

De esta manera, la empresa que pretendes que te contrate conocerá y reconocerá tus capacidades, lo que eres capaz de hacer y en qué forma lo haces. Muchos candidatos pueden ser un "mesero", pero pocos pueden ser un "buen mesero" en realidad.

Otra información relevante. En esta sección puede incluirse información que resulta diversa, pero que es importante al momento de tomar la determinación de contratar a una persona. Puede estar en un solo apartado, como información general, o bien reflejada en algunos otros campos.

Los datos que se integran aquí pueden ser:

- Estado civil.
- Ocupación del cónyuge.
- Hijos y edades de los mismos.
- Servicio militar.
- Pertenencia a clubes sociales o asociaciones.
- Cargos honorarios, como son la pertenencia a las ONG.
- Si sabes conducir, qué tipo de vehículos sabes manejar y si cuentas con una licencia para ello.
- Pasaporte.
- RFC
- CURP
- Si cuentas con vehículo propio. En este caso, es conveniente especificar la marca y el año, pues puede ser que en ocasiones te soliciten su uso, o bien sea un requisito para desempeñarse laboralmente, como es el caso de representantes comerciales o vendedores.

Siempre evita mencionar alguna pertenencia o preferencia política partidista.

Autodefinición personal. En esta sección puedes definir tus fortalezas, como tú te ves, y tus posibles limitantes para el desempeño laboral. Asimismo, puedes informar de lo siguiente:

- *Disponibilidad para viajar.* Hay quienes, por algún motivo personal, no pueden viajar por no ausentarse de su domicilio.
- *Disponibilidad de cambiar de residencia.* Habrá personas que no tengan inconveniente en cambiar de domicilio a un lugar fuera de su comunidad, o bien dentro de la misma. Por ejemplo, puede especificarse "Sí, cambio de residencia, pero no a una zona incomunicada o de poco desarrollo urbano".

Existen varios elementos que puedes usar para hacer una autodescripción de tu persona; puedes seleccionar uno o varios de los siguientes.

Es muy importante que, antes de enfrentarte al mercado laboral, tengas muy claro quién eres; por ello, trata de responder la ventana de Yohari que se te muestra a continuación:

Conocido por el yo	*Desconocido por el yo*
¿Qué es lo que opino de mí?	¿Qué opino de mí que yo no sé?
Conocido por el yo, pero que no quiero que conozcan	*Desconocido por todos*
No lo anotes, pero piensa qué sabes de ti y qué no quieres que los otros sepan	¿Qué crees que tú ni nadie conozca de ti?

Anota tus resultados en el portafolio de evidencias.

Objetivo. Indica lo que tú pretendes respecto a tu desarrollo personal, laboral e, incluso, social. Por ejemplo:

> Desempeñarme, ofrecer y desarrollar todas mis capacidades para conseguir un excelente resultado en la labor y el área asignada; además, adquirir a través de la responsabilidad y la confianza en mí depositadas, una experiencia laboral que me permita dar un paso importante en mi superación personal, aplicando los conocimientos adquiridos en mis estudios.

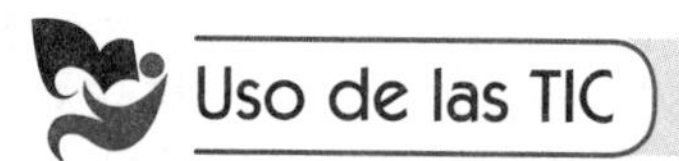

Uso de las TIC

Antes de comenzar a redactar tu currículum en un procesador de textos, selecciona un tipo de letra convencional y fácil de leer, como letra Arial o Calibri. El tamaño ideal para estas letras es de 11 puntos, máximo 12.
Escribe tu nombre en negritas y con un punto de tamaño más grande que el resto del documento.

Valores. De igual manera puedes resaltar los valores que orientan tu vida, tu forma de ver, sentir y actuar, tanto en lo personal como en lo laboral. Por ejemplo:

Valores:

- Responsabilidad
- Humildad
- Compromiso
- Tolerancia
- Dedicación
- Respeto
- Sociabilidad
- Honestidad

Perfil ocupacional. Otra alternativa con la que puedes hacer más interesante tu currículum consiste en describir tu propio perfil laboral. Veamos un ejemplo:

Perfil ocupacional

- Capacidad para valorar el impacto que las soluciones producen en el medio ambiente y en el contexto social.
- Capacidad para ensamblar, montar y dar mantenimiento a equipos electromecánicos, con el fin de contribuir al aumento de la productividad y al mejoramiento de la calidad de los productos.
- Observar y aplicar las normas de seguridad e higiene dentro de los procesos productivos.
- Capacidad para manejar herramientas computacionales con el fin de llevar un mayor control de la productividad y eficiencia del trabajo.
- Capacidad para trabajar en equipo, manteniendo un buen nivel de comunicación y liderazgo orientado a resolver problemas.

O también lo puedes manejar de la siguiente manera:

- Capacidad para establecer comunicación y relaciones sociales.
- Capacidad para reaccionar a los retos.
- Capacidad de observación.
- Capacidad de improvisación.
- Perseveración.
- Responsabilidad.
- Capacidad para trabajar en equipo.

Tipos de presentación de currículum

La información que has decidido incluir en tu currículum puede presentarse en muy diversas formas, y de acuerdo con el modelo que elijas resaltarás algunos aspectos sobre otros. En un modelo determinado, puedes destacar la experiencia laboral o bien la preparación académica, o resaltar otros logros obtenidos en tu trayectoria.

A partir de ello, pueden identificarse tres grandes grupos de modelos de currículum, que varían en función de la organización de los datos que incluyas. Se mencionan tres grandes grupos, puesto que en cada uno tú puedes hacer las modificaciones que consideres necesarias para adaptarlos a tu estilo personal e incluso a un diseño gráfico particular. Estos grupos son:

- Modelo de currículum cronológico.
- Modelo de currículum funcional o temático.
- Modelo de currículum combinado o mixto.

El currículum cronológico

Este modelo es, quizá, el más utilizado. Como su nombre lo indica, es el modelo que organiza la información relacionada con la preparación académica y la experiencia laboral partiendo de lo más antiguo para llegar a lo reciente o actual, de modo que el reclutador de personal pueda identificar la trayectoria del desempeño del interesado. En algunos casos, esta información puede presentarse en orden inverso, es decir, destacando en primer lugar la experiencia más reciente y continuar con los empleos y la formación anteriores.

La mayor ventaja de este modelo es que muestra la estabilidad y la evolución de la trayectoria laboral, y permite resaltar el incremento de las tareas y los ascensos laborales ganados. Por el contrario, deja visualizar los periodos de inactividad o si el candidato ha tenido una etapa de considerable movilidad de lugares de trabajo, lo que obliga a dar muchas explicaciones sobre estos cambios frecuentes de trabajo.

Por lo anterior, si dispones de una buena trayectoria laboral en donde no has tenido muchos cambios de trabajo, periodos prolongados sin actividad productiva, o bien si deseas destacar una empresa en la que has trabajado, te conviene este modelo.

Ventajas:

- Formato muy tradicional.
- Muy aceptado por las empresas.
- Muy estructurado.
- Fácil de leer y entender.
- Resalta la estabilidad laboral, las responsabilidades y las promociones o ascensos.
- Describe funciones.

Desventajas:

- Hace evidente si el candidato ha tenido muchos cambios de trabajo.
- Evidencia periodos de inactividad laboral.
- Muestra la falta de formación y preparación.
- Puede resaltar la edad, sea con poca experiencia o bien muchos trabajos sin logros.

Ejemplos de currículum cronológico:

Ejemplo 1

Profesión o área laboral

Fotografía

Nombre y apellidos
Dirección
Teléfono fijo/celular/de recados
Dirección de correo electrónico

Experiencia profesional

Febrero 2013-Agosto 2013 Empresa actual en que trabaja o última en que trabajó
Puesto: Puesto que desempeñó
Funciones: Descripción de las funciones, actividades y responsabilidades relevantes
Logros: Se describen, en cantidades, los resultados obtenidos durante el periodo de trabajo

Marzo 2011-Diciembre 2012 Nombre de la empresa en que trabajó
Puesto: Puesto que desempeñó
Funciones: Descripción de las funciones, actividades y responsabilidades relevantes
Logros: Se describen, en cantidades, los resultados obtenidos durante el periodo de trabajo

Junio 2009-Enero 2011 Nombre de la empresa en que trabajó
Puesto: Puesto que desempeñó
Funciones: Descripción de las funciones, actividades y responsabilidades relevantes
Logros: Se describen, en cantidades, los resultados obtenidos durante el periodo de trabajo

Formación académica

2007-2010 Secundaria General Núm. 1
Certificado de Secundaria y Diploma en Estructuras metálicas
2010-2013 Plantel del bachillerato del Estado SABES Núm. 1
Certificado de Bachillerato y Diploma de Técnico soldador

Idiomas: Inglés: Nivel alto
Informática: Programas que se conocen y nivel de dominio
Otra información:

Valores: Responsabilidad, Honradez, Lealtad, Servicio, Dedicación

Ejemplo 2

Nombre y apellidos
Dirección
Teléfono fijo, celular, de recados
Correo electrónico

Edad
Experiencia profesional
Otros datos relevantes

Profesión/Área o sector profesional

Experiencia profesional

Enero 2012-Julio 2013. Nombre de la empresa Nombre del puesto y descripción de funciones y actividades	Logros y metas alcanzadas durante el periodo de trabajo, todo expresado en cantidades

Enero 2010-Julio 2011. Nombre de la empresa Nombre del puesto y descripción de funciones y actividades	Logros y metas alcanzadas durante el periodo de trabajo, todo expresado en cantidades

Junio 2007-Diciembre 2009. Nombre de la empresa Nombre del puesto y descripción de funciones y actividades	Logros y metas alcanzadas durante el periodo de trabajo, todo expresado en cantidades

Formación académica

2007-2010 Secundaria General Núm. 1
Certificado de Secundaria y Diploma de Técnico en Ofimática
2010-2013 Plantel del Bachillerato SABES Núm. 1
Certificado de Bachillerato, Diploma de capturista de datos

Otras actividades

Cursos Curso 1: Fecha. Institución
Curso 2: Fecha. Institución

Otra información

Idiomas
Idioma 1: Nivel/Titulación
Idioma 2: Nivel/Titulación

Informática
Programa 1: Nivel
Programa 2: Nivel

El currículum funcional temático

A diferencia del currículum cronológico, este modelo agrupa la información por temas de desarrollo, lo que da un conocimiento rápido de la formación académica y de la experiencia en un área laboral determinada. Al no ser secuencial, permite destacar los aspectos positivos, las metas logradas y las capacidades con las que se cuenta, por lo que se minimizan aquellos conceptos que no son del todo favorables, como los tiempos sin trabajo o los cambios frecuentes de empresa.

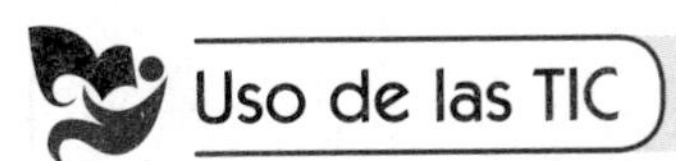

Con la ayuda del procesador de textos elabora, apoyándote con las herramientas de formato de documentos y plantillas, un currículum temático.

Se recomienda utilizar este modelo en los casos en que lo importante no es una experiencia laboral anterior, sino las capacidades, las habilidades, los valores y la forma de trabajar que se tienen. Es la mejor opción cuando no se cuenta con experiencia laboral, cuando se ha dejado de trabajar por un tiempo, cuando hay cambios frecuentes de trabajo, o bien cuando el desarrollo laboral ha sido independiente (profesional o técnico) o se ha dedicado a actividades empresariales.

Ventajas:

- Se centra en los conocimientos, las habilidades y las capacidades, independientemente de la trayectoria laboral.
- Permite presentar otra información relacionada con los intereses y las motivaciones del candidato.
- Es flexible en la organización de información de capacidades y logros.
- Es muy útil cuando se manejan nuevas tecnologías.

Desventajas:

- Minimiza el nombre de las empresas en que se ha trabajado.
- Se reduce la apreciación del periodo de duración de cada trabajo.
- Reduce la descripción de cada puesto de trabajo.
- Se pierden las responsabilidades.

Ejemplo 1

Profesión/Área profesional

Fotografía

Nombre Apellido1
Apellido2

Edad

Dirección
C.P./Ciudad

Teléfono
fijo, celular,
de recados

Dirección de correo
electrónico

Años de experiencia

Descripción general del perfil profesional: trabajos ejercidos, funciones desempeñadas, cargos. Síntesis de las principales cualidades y capacidades para el trabajo. Logros

Habilidades/Capacidades

Capacidad 1/Área 1

Habilidades: Descripción de las capacidades del candidato en un área determinada
Experiencia: Experiencia en esta área o en la que ha requerido la capacidad
Logros: Descripción detallada de los logros que ha conseguido en esa área

Capacidad 2/Área 2

Habilidades: Descripción de las capacidades del candidato en un área determinada
Experiencia: Experiencia en esta área o en la que ha requerido la capacidad
Logros: Descripción detallada de los logros que ha conseguido en esa área

Formación académica

2010-2013 **Nombre de la titulación, grado o certificado**
Institución que otorga el título
Breve descripción de la formación adquirida
2007-2010 **Nombre de la titulación, grado o certificado**
Institución que otorga el título
Breve descripción de la formación adquirida

Otros datos

Idiomas **Inglés**: Nivel y certificación
Alemán: Nivel y certificación

Informática **Programa** y nivel de dominio
Programa y nivel de dominio

Otra información

Ejemplo 2

Profesión/Área profesional **Años de experiencia**

Descripción general del perfil laboral: trabajos ejercidos, funciones desempeñadas, cargos. Síntesis de las principales cualidades y capacidades para el trabajo. Logros

Fotografía

Nombre Apellido 1 Apellido 2

Dirección
Teléfono fijo, celular y de recados
Correo electrónico

Capacidad 1/Área 1

Habilidades:	Descripción de las capacidades del candidato en un área determinada
Logros:	Descripción detallada de los logros que ha conseguido en esa área

Capacidad 2/Área 2

Habilidades:	Descripción de las capacidades del candidato en un área determinada
Logros:	Descripción detallada de los logros que ha conseguido en esa área

Formación académica

2010-2013	**Nombre de la titulación, grado o certificado** Institución que otorga el título Breve descripción de la formación adquirida
2007-2010	**Nombre de la titulación, grado o certificado** Institución que otorga el título Breve descripción de la formación adquirida

Cualidades

Cualidad 1
Cualidad 2
Cualidad 3

Experiencia

Experiencia 1: Breve descripción del cargo ocupado
Experiencia 2: Breve descripción del cargo ocupado
Experiencia 3: Breve descripción del cargo ocupado

Idiomas

Inglés: Nivel idioma

Conversación
Escrito
Leído

Informática

Programa y nivel de dominio

Programa y nivel de dominio

Otros datos

Licencia de conducir

Disponibilidad de horario, viajar y cambio de residencia, etcétera

El currículum combinado o mixto

Su nombre lo dice todo: es una mezcla de los modelos cronológico y funcional temático. Resulta más complejo de elaborar, pues parte del modelo funcional temático para acomodar la información por áreas temáticas o profesionales y lograr su organización con el tiempo. Con ello se logra resaltar las habilidades que se tienen, a la vez que se refleja la experiencia y la preparación.

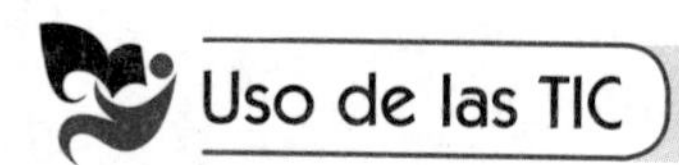

Uso de las TIC

Con la ayuda del procesador de textos elabora, apoyándote con las herramientas de formato de documentos y plantillas, un currículum combinado o mixto.

Ventajas:

- Resalta tus capacidades y logros realizados conjuntamente con la experiencia y la formación.
- Permite un uso más libre de la creatividad en su diseño y en el manejo de la información, ya que es muy flexible.
- Puedes resaltar diferentes aspectos que consideres que pueden interesar a su lector.

Desventajas:

- Ante procesos muy estandarizados y sistematizados, no es muy adaptable.
- Requieres elaborar uno especial para cada puesto solicitado.
- Absorbe mucho tiempo su elaboración.

Ejemplos de currículum combinado o mixto:

Ejemplo 1

Fotografía

Nombre y apellidos
Profesión-Área o sector

Perfil profesional
Profesión/Área: Descripción general del perfil profesional: trabajos ejercidos, funciones desempeñadas, cargos. Síntesis de las principales cualidades y capacidades para el trabajo. Logros

Habilidades
Capacidad 1/Área 1
Habilidades: Descripción de las capacidades en un área determinada
Experiencia: Experiencia profesional en esa área o en la que ha requerido la capacidad
Logros: Descripción de los logros que se han conseguido en esa área

Capacidad 2/Área 2
Habilidades: Descripción de las capacidades en un área determinada
Experiencia: Experiencia profesional en esa área o en la que ha requerido la capacidad
Logros: Descripción de los logros que se han conseguido en esa área

Experiencia profesional
2011-2013 Nombre de la empresa en la que se ha trabajado
Cargo: Nombre del cargo que se ha desempeñado
Función: Descripción de las funciones que se han desempeñado en la empresa. No es necesario que sean muy detalladas, pero sí que den una idea general de las capacidades del candidato

2009-2011 Nombre de la empresa en la que se ha trabajado
Cargo: Nombre del cargo que se ha desempeñado
Función: Descripción de las funciones que se han desempeñado en la empresa. No es necesario que sean muy detalladas, pero sí que den una idea general de las capacidades del candidato

Nombre y apellidos
Dirección
Teléfono fijo, celular, de recados
Dirección de correo electrónico

Formación académica
Secundaria general Núm. 1
Certificado de Secundaria y Diploma de Técnico en Electrónica
Bachillerato SABES Plantel 1
Certificado de Bachillerato y Diploma de Técnico en Computación

Otros datos
Idiomas Inglés: Nivel y certificación
Informática Programa y nivel de dominio
Programa y nivel de dominio

Ejemplo 2

Fotografía

Profesión/Área profesional
Nombre(s) Apellido 1 Apellido 2

Descripción general del perfil profesional: trabajos ejercidos, funciones desempeñadas, cargos. Síntesis de las principales cualidades y capacidades para el trabajo. Logros. No es necesario que sean muy detallados, pero sí que den una idea general de las capacidades del candidato

Habilidades/Capacidades
Capacidad 1/Área 1
Habilidades: Resumen de las capacidades del candidato en un área determinada
Logros: Descripción de los logros que ha conseguido en esa área

Capacidad 2/Área 2
Habilidades: Resumen de las capacidades del candidato en un área determinada
Logros: Descripción de los logros que ha conseguido en esa área

Capacidad 3/Área 3
Habilidades: Resumen de las capacidades del candidato en un área determinada
Logros: Descripción de los logros que ha conseguido en esa área

Experiencia profesional
2011-2013 Nombre de la empresa en la que se ha trabajado
Cargo: Nombre del cargo que se ha desempeñado
Función: Descripción de las funciones que ha desempeñado en la empresa

2010-2011 Nombre de la empresa en la que se ha trabajado
Cargo: Nombre del cargo que se ha desempeñado
Función: Descripción de las funciones que ha desempeñado en la empresa

2008-2010 Nombre de la empresa en la que se ha trabajado
Cargo: Nombre del cargo que se ha desempeñado
Función: Descripción de las funciones que ha desempeñado en la empresa

Formación académica
2002-2005 Secundaria General Núm. 1
Certificado y Diploma en Corte y Confección
2005-2008 Bachillerato SABES Plantel 1
Certificado y Diploma en Diseño de Modas

Dirección

Teléfono fijo, celular y de recados

Dirección de correo electrónico

Cualidades

Cualidad 1
Cualidad 2
Cualidad 3

Experiencia

Experiencia 1: Breve descripción del cargo ocupado
Experiencia 2: Breve descripción del cargo ocupado
Experiencia 3: Breve descripción del cargo ocupado

Idiomas
Inglés: Nivel general (%)
Leído (%)
Hablado (%)
Escrito (%)

Informática
Programa 1 y nivel de dominio
Programa 2 y nivel de dominio

Otros datos
Licencia de conducir
Disponibilidad de viajar y para cambiar de domicilio

Consejos generales para la elaboración del currículum

Hemos visto ya algunos aspectos importantes en la elaboración del currículum; sin embargo, hay algunas recomendaciones generales que te ayudarán a darle una mejor presentación a tu documento y, por lo tanto, proyección hacia los contratantes. A continuación te presento algunos consejos que pueden serte útiles al elaborar tu currículum y presentarlo en una empresa.

- Cuida que el currículum, de preferencia, ocupe una sola hoja de extensión (dos, cuando mucho); resulta muy incómodo para la persona que hace el reclutamiento y la selección de personal manejar mucha papelería. Se ha encontrado que una o dos hojas son suficientes para comunicar la experiencia y la formación que se tienen. Para adecuar tu documento a este tamaño puedes usar un tamaño de letra de entre 10 y 12 puntos y evitar interlineados grandes o saltos de renglón.
- Puedes recurrir a elementos de diseño como imágenes, logotipos, viñetas, fondos de color, recuadros, líneas, etc., pero no abuses de ello, ya que el exceso de éstos puede reducir el impacto de tu currículum.
- Procura dar una imagen profesional en el diseño. Evita los elementos infantiles (caricaturas, por ejemplo), conceptos agresivos o violentos (armas), letras de otros idiomas (como caracteres chinos o japoneses) o imágenes parecidas.
- Presenta el currículum en hojas tamaño carta; es el estándar para este documento. El tamaño oficio tiene otras aplicaciones, mientras que el tamaño A4 es el que se utiliza con frecuencia en Estados Unidos; por eso es por lo que el procesador de textos tiene esta opción predeterminada en su configuración para imprimir. Verifica el tamaño del formato y del papel antes de iniciar el documento.
- Utiliza exclusivamente el procesador de textos para elaborar tu currículum. Las hojas de cálculo y los programas de presentaciones no serían los idóneos para elaborar este tipo de documentos.
- Utiliza un tipo de letra legible, no garigoleada, y no utilices más de tres diferentes tipos en el documento. Para resaltar algunos puntos, puedes apoyarte en el uso de minúsculas, mayúsculas, subrayado y negritas (*bold*). Si usas colores en la letra, tu currículum puede perder impacto visual cuando lo imprimas en blanco y negro.
- En los títulos, el nombre personal o el área de trabajo, puedes utilizar una letra de hasta 24 puntos como máximo.
- Cuando elabores tu currículum en el procesador de textos deberás guardar el archivo con un nombre formado por los Apellidos, el Nombre y la terminación CV, o la palabra *currículum*. Es posible

que tengas que enviarlo por correo electrónico, por lo cual es importante que lo identifiques de esta forma. Piensa que los encargados de reclutamiento y selección de personal de las empresas reciben cientos de documentos que se llaman "CV", "currículum", "FGT CV", "Rosi CV", "Pancho currículum", los que se confunden y extravían. ¿Deseas que no sepan cuál es tu currículum?

Ejemplo:

Martínez González José Alberto CV.doc

- Para evitar problemas de compatibilidad de un documento cuando éste va a ser leído en un programa más "avanzado" o "antiguo", transforma tu documento del procesador de textos a un formato de imagen, por ejemplo, PDF, lo que no sólo lo hará más ligero para su envío, sino que podrá transferirse y leerse con facilidad en varios equipos y no será editable o modificable.

Ejemplo:

Martínez González José Alberto CV.pdf

- Guarda una copia de tu currículum en tu buzón de correo electrónico; así siempre lo tendrás disponible para aprovechar una oportunidad imprevista.
- En un fólder o carpeta física guarda todos los documentos personales, como certificados, títulos, diplomas, cartas de recomendación, hoja de alta de seguridad social, documentos de la Afore, acta de nacimiento, identificación con fotografía, etc., y sus respectivas copias fotostáticas de respaldo. De este modo los tendrás siempre ordenados y disponibles.
- Al momento de entregar tu currículum es preferible que no entregues los documentos citados en el punto anterior, ya que la empresa te los solicitará luego de que haya revisado tu información curricular y te considere para una siguiente fase de selección, donde tendrás que comprobar, ahora sí, con estos documentos, lo expresado en el currículum. Tendrás que ajustarte a las indicaciones y procedimientos de cada empresa.
- Escanea los documentos comprobatorios de tu currículum y guarda los archivos. Así, podrás enviarlos electrónicamente o, si fuera necesario, los tendrás a la mano para imprimirlos.
- No entregues documentos originales, siempre da fotocopias. Pero si se te requiere, deberás mostrar los originales para que el reclutador los coteje con las fotocopias. Habrá casos particulares en que tendrás que ajustarte a lo que te soliciten.
- Para cada entrevista laboral lleva, por lo menos, dos juegos de tu currículum impresos y una copia electrónica, guardada en una memoria USB, por si lo requiere la empresa.

- Si tu currículum impreso en papel abarca más de una hoja, engrápalo; no dejes hojas sueltas o coloques clips. En el área de reclutamiento y selección de personal, por lo común, se manejan tantos documentos que pueden traspapelarse. Por presentación, puedes entregarlo dentro de un fólder o carpeta, pero no engargoles una o dos hojas. Si vas a entregar más documentos, asegúrate de que lleven tu nombre; por ejemplo, en los comprobantes de domicilio, que pueden estar a nombre de tus padres, escribe tu nombre en alguno de los márgenes o espacios.

LA CARTA DE PRESENTACIÓN

> No hay secretos para el éxito. Éste se alcanza preparándose, trabajando arduamente y aprendiendo del fracaso.
>
> Colin Powell

> Vive tratando de realizar muchas de las cosas que siempre has soñado, y no te quedará tiempo para sentirte mal.
>
> Richard Bach

Una carta de presentación es un documento que puede adjuntarse al currículum, y que tiene el propósito de llamar la atención, mediante la diferencia que se hace con respecto a otros aspirantes, y favorecer, así, un avance en el proceso de selección. Es un recurso muy utilizado en algunos países, pero en México hay muchas regiones donde no se acostumbra su uso; en la mayoría de los casos se ha optado por reforzar el currículum con más información, principalmente aquella relacionada con el objetivo y los valores profesionales, los cuales también se abordan en la carta de presentación.

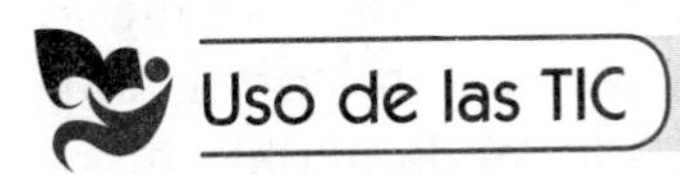

Con ayuda del procesador de textos, y apoyándote con las herramientas de formatos y plantillas, elabora una carta de presentación laboral. ¿Qué reglas de tratamiento aplicarías para dirigirte a la empresa? ¿Qué tipo de lenguaje utilizarías?

Resulta un documento importante, pues en él se manifiestan las actitudes y los intereses del candidato que tiene hacia la empresa y el puesto vacante, aunque no se describen conocimientos y experiencias personales y profesionales. Este documento, asimismo, aborda la capacidad que tiene el candidato para comunicarse, así como algunos aspectos de su personalidad. Es la manera en que la empresa puede conocer un poco más del candidato, y de formarse una idea de lo que éste puede aportar a la productividad.

Una carta de presentación debe generar un impacto comunicacional muy grande; por ello, debe redactarse con mucho cuidado, para que exprese claramente una intención e interés; con una idea sencilla, pero a la vez contundente. En su redacción también deben atenderse las reglas de ortografía.

Dado que la intención de esta carta es afirmar que tú, como candidato, cumples con los requisitos de la vacante, debes destacar tus habilidades, capacidades, actitudes y conocimientos requeridos.

La carta de presentación se integra de los siguientes elementos:

Saludo. Se dirige a la persona con la que se desea hablar sobre la vacante, en caso de que no se conozca el puesto correspondiente (en la mayoría de los casos es el responsable de reclutamiento y selección de personal). Es conveniente que te asegures de que los datos que puedas obtener sean correctos; de lo contrario, podrías enviar la información al personal o área equivocado.

Introducción. La carta de presentación es el inicio del proceso en el cual te vas a "vender" o promover, es decir, a poner a disposición de la empresa tu capacidad productiva. Por lo mismo, tienes que llamar la atención del contratante y mostrar interés por integrarte a esta empresa, y en especial, a un puesto determinado. En esta parte de la carta es cuando puedes manifestar que estás respondiendo a una convocatoria o publicación determinada.

Cuerpo. Aquí debes resaltar la orientación y los proyectos que conoces de la empresa, y cómo puedes contribuir con tu experiencia, capacidad, habilidades, aptitudes y conocimientos al logro de sus metas. En otras palabras, debes expresar todo lo que tienes para colaborar en la parte productiva.

Cierre. Terminando con un cumplido de despedida, solicita que se te otorgue una entrevista en la que podrás presentar con más detalle lo manifestado en tu currículum. Tienes que ser asertivo y claro con tu solicitud, de manera que no tengas que estar esperando su llamada o mensaje, y en lugar de ello, deberás decir que te comunicarás más adelante para confirmar el día y la hora de la entrevista.

Ahora, incluyo algunos aspectos que tienes que observar en la elaboración de tu carta de presentación:

- Cuida la ortografía en todo el documento.
- Usa un lenguaje claro y sin rebuscamientos (palabras de difícil interpretación o frases revueltas y poco directas a lo que pides).
- Usa frases cortas y sencillas.
- Dirígete con un tono cordial y respetuoso.
- Sin ser superlativo o exagerado, destaca lo mejor que tienes para ofrecer a la empresa.

- No busques dar lástima; las empresas son entidades productivas, no centros de beneficencia social.
- Al momento de redactar, llénate de optimismo y asertividad.
- Dirígete siempre en tercera persona, es decir, de "Usted". Siempre muestra respeto.
- Evita repetir lo que ya pusiste en el currículum, pero sí destaca tus puntos fuertes.

A continuación se muestran dos ejemplos de carta de presentación.

Ejemplo 1. Respuesta a una vacante publicada.

Tu nombre y apellidos
Dirección
Código postal/Ciudad
Teléfono
Correo electrónico

Sr. Nombre/Apellido
Cargo
Nombre de la empresa
Dirección
Código postal/Ciudad

Ciudad/Fecha

Estimado Señor:

Tengo el gusto de remitir mi currículum vitae en respuesta al anuncio publicado en el periódico local de fecha 20 de mayo, en el cual se ofrece una vacante de Técnico Capturista.

Por los estudios realizados y la experiencia con que cuento, me atrevo a pensar que cuento con las aptitudes, las actitudes y los conocimientos necesarios para desempeñar el puesto vacante.

Para lo cual mucho agradecería que tomaran en cuenta no sólo mis estudios, sino los logros que he tenido en mi experiencia laboral durante varios años en empresas del mismo giro.

Los nuevos retos, aunque sean conocidos, me estimulan a enfrentar con entusiasmo las nuevas responsabilidades, los retos y los compromisos que pudiera adquirir, aun cuando el camino por recorrer es largo todavía y nada fácil.

Cuento con disponibilidad para incorporarme a trabajar en forma inmediata, en caso de así requerirse. Considero que sería muy productiva una entrevista personal para que conozca con detalle mi experiencia y capacidad.

Por lo pronto, espero novedades de usted para conciliar la entrevista.

Atentamente,

Firma
Nombre
Teléfono

Ejemplo 2. Búsqueda de trabajo espontánea.

Nombre
Dirección
Teléfono fijo, celular y de recados
Correo electrónico

Responsable de Reclutamiento y Selección de Personal
Nombre de la empresa
Dirección

Ciudad y Fecha

Estimado Señor:

He terminado recientemente mis estudios de Bachillerato en el SABES y me dirijo a usted con el propósito de poner a disposición de la empresa que representa mi capacidad productiva.

Durante mis estudios realicé diferentes prácticas, por una cantidad considerable de horas, en el ámbito que su empresa desarrolla.

Por esta experiencia adquirida en las prácticas escolares, he aprendido muchos aspectos del campo laboral. Aun cuando estas prácticas no fueron remuneradas económicamente, sí fueron enriquecedoras para mi desarrollo.

Así, es mi deseo manifestar a la empresa X el gran interés que tengo por incorporarme a la vida productiva y llevar a cabo lo aprendido en el aula.

Espero comentar a usted, en una entrevista personal, las capacidades, las habilidades y los conocimientos que puedo poner en práctica en el campo laboral.

En espera de poder acordar la fecha y hora en que me pueda recibir.

ATENTAMENTE

____

Nombre
Firma

Habilidades

1. Con tus compañeros de grupo organiza una sesión fotográfica para la elaboración de documentos para solicitar empleo; utilicen una cámara digital o la que viene integrada en el teléfono celular, pero procuren que tenga una resolución aceptable. Luego de la sesión, revisen las fotografías que tomaron y seleccionen aquellas que muestren una expresión agradable, con una sonrisa sencilla, y que comuniquen valores como seriedad y responsabilidad.

Uso de las TIC

Con ayuda del procesador de texto elabora tu propio "papel" electrónico membretado, es decir, diseña tu hoja para la elaboración de tus currículum y cartas de presentación. Apóyate con el uso de herramientas de formato de documentos y plantillas de este programa.

2. Luego, elabora tu propio currículum de acuerdo con las pautas y recomendaciones que se han comentado en este bloque. Elabora el documento en dos modelos diferentes, el cronológico y el funcional temático.
3. Elabora una carta de presentación de acuerdo con las recomendaciones que se hicieron en este bloque; puedes apoyarte en tu facilitador de la materia de Comprensión e interpretación de textos.

Valores y actitudes

Elabora en tu portafolio de evidencias un ensayo, de cuando menos una cuartilla, en donde expreses las razones o los motivos por los que una empresa selecciona y contrata a un trabajador y, con base en ello, sustenta cuáles son los contenidos, los temas, la información y la orientación que deben tener los documentos de solicitud laboral (solicitud de empleo, currículum, carta de presentación) en su redacción, además de establecer el formato que debe llevar cada uno.

Presenta tu ensayo al grupo y comenten los diferentes puntos de vista en los mismos.

Escribe aquí el nombre de tu ensayo. Piensa en uno que atraiga el interés de sus lectores: ______________________________

____

Evaluación del desempeño

- Ensayo en donde expreses las razones y los motivos por los que una empresa selecciona y contrata a un trabajador.
- Solicitud de empleo debidamente completada en todos sus apartados.
- Currículum elaborado y terminado. Realizado en dos modelos, cronológico y funcional temático, y entregado en formato electrónico e impreso en papel.
- Carta de presentación revisada y aprobada por el facilitador de la materia de Comprensión e interpretación de textos.

Evaluación del aprendizaje

Autoevaluación

Consulta, en la sección "Metodología de este libro", la escala de evaluación en la página 15, para que consideres la escala con que evaluarás los siguientes desempeños.

Desempeños	*Puntaje*	*Compromiso que puedo establecer para mejorar mi desempeño*
1.3. Eliges alternativas y cursos de acción con base en criterios sustentados en el marco de un proyecto de vida.		
1.4. Analizas críticamente los factores que influyen en tu toma de decisiones.		
1.5. Administras los recursos disponibles teniendo en cuenta las restricciones para el logro de tus metas.		
4.1. Expresas ideas y conceptos mediante representaciones lingüísticas, matemáticas o gráficas.		

4.3. Identificas las ideas clave en un texto o discurso oral, e infieres conclusiones a partir de ellas.		
4.5. Manejas tecnologías de la información y la comunicación para obtener información y expresar ideas.		
6.1. Eliges las fuentes de información más relevantes para un propósito específico y discriminas entre ellas de acuerdo con su relevancia y confiabilidad.		
6.3. Reconoces los propios prejuicios, modificas tus puntos de vista al conocer nuevas evidencias, e integras nuevos conocimientos y perspectivas al acervo con el que cuentas.		
6.4. Estructuras ideas y argumentos de manera clara, coherente y sintética.		
7.1. Defines metas y das seguimiento a tus procesos de construcción de conocimiento.		
7.3. Articulas saberes de diversos campos y estableces relaciones entre ellos y tu vida cotidiana.		
8.2. Aportas puntos de vista con apertura y consideras los de otras personas de manera reflexiva.		
8.3. Asumes una actitud constructiva, congruente con los conocimientos y las habilidades con los que cuentas dentro de distintos equipos de trabajo.		

1. De este bloque, ¿qué es lo que te agradó más?

2. ¿Encuentras que lo que aprendiste en este bloque lo vas a aplicar en tu vida?

3. Para conocer con mayor profundidad y amplitud sobre lo visto en este bloque, ¿sobre qué temas puedes investigar más? Menciona tres.

   a)

   b)

   c)

4. Lo visto en este bloque no son sólo conocimientos; también podrían significar cambios en tu actitud, ¿por qué?:

5. Tu aprendizaje, que incluye actitudes, esfuerzos y cambios personales, podrías evaluarlo en forma general como: ________________ debido a que: ________________

____

____

____

____

____

____

____

Coevaluación

	Concepto	*Muy mal*	*Mal*	*Indistinto*	*Bueno*	*Muy bueno*
1	En el transcurso de este bloque se mostró participativo con *actitud* positiva.					
2	Brindó *atención* a las explicaciones que brindó el facilitador y a las participaciones de los compañeros de clase durante este bloque.					
3	Se mostró *participativo* con todo el grupo, en especial con los equipos con los que ha trabajado.					
4	Mejoró la *comunicación* con los compañeros, tanto en expresiones como ideas e intenciones.					
5	Se condujo con *honestidad* y *sinceridad*.					

Heteroevaluación

El facilitador indicará en este cuadro el alcance que el estudiante ha mostrado, marcando el nivel correspondiente.

Elaboras tu currículum y tu carta de presentación, lo que te permitirá presentarte adecuadamente como un posible candidato ante los responsables del proceso de selección de una empresa.

Pésimo	*Deficiente*	*Regular*	*Bueno*	*Excelente*

Bloque III

Medios para la búsqueda de información

Competencia de bloque

Ejemplificas de manera detallada y ordenada los diferentes medios existentes para buscar trabajo, lo que te permitirá visualizar las posibles oportunidades y hacer llegar con certeza tus documentos de presentación a las personas correspondientes.

Atributos de las competencias genéricas

1.3. Eliges alternativas y cursos de acción con base en criterios sustentados y en el marco de un proyecto de vida.

1.6. Administras los recursos disponibles teniendo en cuenta las restricciones para el logro de tus metas.

4.1. Expresas ideas y conceptos mediante representaciones lingüísticas, matemáticas o gráficas.

4.2. Aplicas distintas estrategias comunicativas según quienes sean tus interlocutores, el contexto en que te encuentras y los objetivos que persigues.

4.3. Identificas las ideas clave en un texto o discurso oral, e infieres conclusiones a partir de ellas.

4.5. Manejas tecnologías de la información y la comunicación para obtener información y expresar ideas.

6.1. Eliges las fuentes de información más relevantes para un propósito específico y discriminas entre ellas de acuerdo con su relevancia y confiabilidad.

6.3. Reconoces los propios prejuicios, modificas tus puntos de vista al conocer nuevas evidencias, e integras nuevos conocimientos y perspectivas al acervo con el que cuentas.

7.1. Defines metas y das seguimiento a tus procesos de construcción de conocimiento.

7.3. Articulas saberes de diversos campos y estableces relaciones entre ellos y tu vida cotidiana.

8.2. Aportas puntos de vista con apertura y consideras los de otras personas de manera reflexiva.

8.3. Asumes una actitud constructiva, congruente con los conocimientos y las habilidades con los que cuentas dentro de distintos equipos de trabajo.

Para reflexionar

Lee el caso siguiente.

José Antonio terminó la preparatoria con buenas calificaciones; sin embargo, su familia, que hasta ese momento había podido financiar sus estudios haciendo un gran esfuerzo, no podía costear ya los gastos que representaba el nivel universitario, mucho menos cuando él no realizaba una aportación a la economía familiar.

Así, José Antonio, al día siguiente de su fiesta de fin de cursos, decidió buscar trabajo y apoyar a la familia. Pensó, además, en que si el horario del trabajo que encontrara se lo permitía, seguiría estudiando. Con ánimos renovados y la frente en alto, se puso el short bermuda que más le gustaba, una camiseta de algodón y los cómodos tenis del diario; se dirigió a la plaza de la colonia para preguntarle a Don Jesús, señor de avanzada edad y piernas cansadas que se sentaba todas las mañanas en la banca próxima a la fuente, si sabía de algún sitio donde pudiera trabajar.

Don Jesús, un buen hombre a quien la vida no le había sido fácil, le platicó de las largas jornadas de trabajo con poca paga que él había tenido durante su vida, y también de que en ese momento no sabía cómo le hacían sus hijos para sobrevivir, ya que desconocía en qué trabajaban. Le platicó de un patrón que tuvo, un gran hombre que ya había muerto. Después de unas tres horas, José Antonio conoció muchas cosas de la vida de Don Jesús, pero seguía sin saber en dónde buscar trabajo.

De regreso a su casa, José Antonio recordó que en el periódico salían muchos anuncios, pero que él nunca les había puesto atención; sólo leía los chistes, la caricatura del día y la sección de deportes. Tomó el periódico y, luego de revisar varios anuncios, se sorprendió de ver que en la mayoría de las vacantes pedían experiencia laboral o solicitaban profesionistas, o que, en el mejor de los casos, en aquellos empleos en los que sólo se solicitaban estudios de preparatoria, el lugar de trabajo se encontraba del otro lado de la ciudad o en otro municipio.

José Antonio meditó las opciones disponibles, respiró profundo y se llenó de entusiasmo de encontrar un trabajo, aunque fuera del otro lado de la ciudad. Salió de su casa y tomó un camión. Después de un viaje de más de una hora y media de trayecto, no batalló para localizar la empresa solicitante. Cuando llegó a la puerta se topó con uno de los guardias de seguridad, quien le informó que, efectivamente, el anuncio que había visto en el periódico era de ese centro de trabajo, pero que ya habían sido cubiertas las vacantes hace varios días; el anuncio se publicó durante 15 días antes de que José lo encontrara. Al joven no le quedó otra opción que regresar a su casa.

Reflexionando en lo que podría hacer, a José Antonio se le ocurrió ver a Panchito, el vecino de enfrente, ya jubilado, a quien le pidió que si sabía de un trabajo le avisara. En el camino de regreso, José Antonio se encontró con sus amigos de la infancia, quienes hoy se pasan buena parte del día afuera de la tienda de abarrotes de la esquina. A ellos también les encargó que le avisaran si sabían de alguna "chamba".

Luego de ello, José Antonio regresó a su casa y se sentó a esperar a que le hablaran para ir a trabajar, tenía todas las ganas de hacer algo.

Contesta bajo tu criterio las siguientes preguntas. En cada caso explica tu razón.

1. ¿Consideras que esta historia ficticia pudiera llegar a ser real?

____

____

2. ¿Consideras que José Antonio tenía una metodología o un sistema para buscar trabajo?

____

____

3. ¿Se preparó adecuadamente para buscar trabajo?

____

____

4. Su forma de vestir, aun estando limpio, ¿era la apropiada para buscar trabajo?

____

____

5. José Antonio recurrió a amistades para que lo apoyaran en la búsqueda de trabajo, ¿fueron las adecuadas?

____

____

6. ¿Sus fuentes de información de vacantes de trabajo fueron adecuadas?

____

____

7. ¿Crees que haya agotado todos los recursos para buscar trabajo?

____

____

8. ¿Por qué consideras que sentarse a esperar a que nos avisen para trabajar es la opción más recurrente entre los jóvenes? ¿Sirve para algo este periodo de espera?

____

____

9. ¿Consideras que tener todos los ánimos y la energía es suficiente para buscar trabajo?

____

____

10. Menciona tres cosas que tú le recomendarías a José Antonio para buscar trabajo.

a) ____

b) ____

c) ____

MEDIOS PARA LA BÚSQUEDA DE INFORMACIÓN LABORAL

Los sabios son quienes buscan la sabiduría;
los necios piensan ya haberla encontrado.

NAPOLEÓN I

Para iniciar

A través de los dos primeros bloques de este libro has ido definiendo de manera más clara aquello en lo que puedes trabajar y también en lo que te gustaría hacerlo, además de las aptitudes y actitudes laborales que tienes. Ahora es necesario desarrollar un plan de acción con el que no sólo encuentres un trabajo, sino que también, en la medida de lo posible, encuentres un área laboral donde te desarrolles con mayor plenitud.

Evaluaremos en este bloque las estrategias para:

a) Cuando encuentres tu primer trabajo.
b) Cuando, al estar trabajando, tomas la determinación de seguir creciendo en otra empresa.

Conocimientos

El primer paso que debes dar consiste en identificar los medios de los que dispones para conseguir un empleo. Debes entender que, para una empresa, el proceso de reclutamiento y selección de personal implica una inversión considerable, por lo que siempre buscará reducir costos en esa área.

Tener bien identificados los medios por los cuales puedes encontrar un empleo te permitirá tener beneficios tales como:

- Reducción de pérdida de tiempo.
- Mayor diversidad de opciones laborales.
- Mejor comunicación.
- Mejores alternativas laborales.
- Fuentes de información confiables y relevantes.

Red de contactos

Para reclutar personal, las empresas recurren, primero, a medios que no representan un desembolso o que, por lo menos, generan un costo relativamente bajo. A esto nos referimos con una red de contactos personales.

Es común que las vacantes disponibles en una empresa se publiquen primero dentro de ésta, de modo que los mismos trabajadores se enteren y sean quienes contacten a personas cercanas, como familiares, vecinos, amistades, etc., que están buscando una alternativa laboral. Por ello es importante que te comuniques con todas las personas cercanas a ti o tu familia –sin importar que las veas muy seguido o no–, y que les des a conocer que estás buscando trabajo. Asegúrate de que entiendan bien el mensaje y cuál es tu perfil laboral (lo definiste más claramente al elaborar tu currículum), y además de que tengan bien presente el medio con el que pueden contactarte, por ejemplo, que conozcan tu número telefónico.

Considera que una red de contactos no necesariamente brinda resultados de manera inmediata; conviene que a todas aquellas personas a las que les comunicaste tu búsqueda laboral, les llames o visites periódicamente para recordarles tu solicitud.

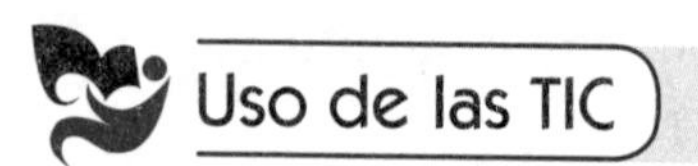

Consulta en internet dos páginas de instituciones educativas o de gobierno que ofrezcan servicio de bolsa de trabajo a todo público. Revisa el tipo de información que manejan y los requisitos para poder usarlas.

Centros escolares

Las empresas recurren frecuentemente a las escuelas para solicitar referencias de estudiantes y egresados, en todos los niveles de estudios; esto les permite reducir costos en reclutamiento y evitar desembolsos innecesarios.

Busca la bolsa de trabajo de la institución de la cual egresaste; puedes, incluso, consultar la de alguna otra institución que esté cerca de tu casa o que sepas que tenga una gran demanda de sus egresados.

Si no existe una bolsa de trabajo como tal, investiga quién atiende las llamadas de las empresas cuando éstas ofrecen una vacante de trabajo; entrégale tus datos, una solicitud y tu currículum, para que te considere en el proceso de selección.

Recuerda también que, en algunos casos, los programas de estudio se integran, además de las materias de aula, de la realización de prácticas, del servicio social e incluso de becas. Estos recursos representan una gran oportunidad para que te des a conocer y para que identifiquen tu desempeño laboral; posteriormente, después de que hayas cumplido con el bachillerato, podrías, por ejemplo, integrarte a la misma empresa a la que prestaste el servicio social.

Si luego de cumplir esta etapa académica no se te brindara ninguna oportunidad, convendría que acudieras al departamento de Recursos Humanos y le hicieras saber tu intención de seguir trabajando en esa empresa. En esos casos, deja tu currículum acompañado de una carta de reconocimiento, firmada por quien fue tu jefe inmediato durante tu estancia en la empresa; esto suele ayudar mucho.

Bolsa de trabajo en las empresas

Por lo general, una empresa recibe solicitudes de empleo y currículos cuando tiene la necesidad de cubrir una vacante, pero también prepara bolsas de trabajo en caso de tener disponibles varias opciones de diferentes áreas. Asimismo, hay muchas empresas que guardan la información curricular que les llega para generar una cartera de personas interesadas; así, en caso de abrir futuras vacantes, el área de reclutamiento revisa primero esta información para verificar si hay alguien que cubra el perfil del puesto.

Algunas empresas, por lo general muy grandes, incluyen en su página web una sección en donde puedes manifestar tu interés por trabajar en dicha empresa. Puedes encontrar esta sección con los nombres "Bolsa de trabajo", "Trabaja con nosotros", "Empleo", por citar algunos ejemplos. Asimismo, muchas empresas recurren a bolsas de trabajo por internet.

Uso de las TIC

Busca en internet cinco empresas que cuenten con bolsa de trabajo en su sitio electrónico, y regístralas somo sitios favoritos en tu programa navegador de internet. Recuerda que no deben ser empresas de reclutamiento ni sitios web de trabajo.

Por ello, si identificas una empresa en la que podrías y te gustaría trabajar, lleva tu currículum para que lo tengan presente en el momento en que surja una vacante.

Cualquier empresa requiere personal; desde luego que entre más grande sea y más personal tenga, existe un mayor movimiento de vacantes, aunque en empresas medianas y chicas también se presentan buenas opciones de empleo.

Servicio público de empleo

Las administraciones gubernamentales, con el fin de fomentar la productividad y reducir el desempleo, crean entidades a nivel federal, estatal y municipal que se encargan de realizar un vínculo entre la empresa que requiere de trabajadores, en todos los niveles, y las personas que buscan una alternativa laboral.

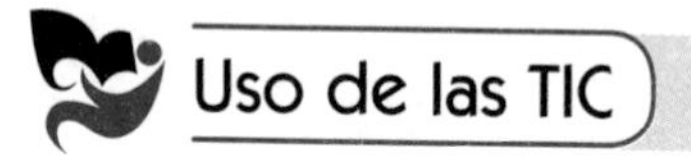

Uso de las TIC

Regístrate como trabajador en <www.empleo.gob.mx>, de acuerdo con el perfil de tu currículum. Presenta tu comprobante de registro como evidencia en tu portafolio.

Estas instancias, que actúan como bolsa de trabajo, atienden a la población general y asimismo a grupos o sectores específicos, como personas con capacidades diferentes, estudiantes, adultos mayores y madres solteras, por lo que podrás encontrarlas con diferentes nombres o bien dentro de otras dependencias, como, por ejemplo, el DIF, los institutos de atención a la mujer, de atención a los jóvenes, al adulto mayor, etc. Localiza en tu comunidad a cuál o a cuáles de estas instituciones o programas puedes tener acceso.

Además, estas organizaciones reciben el apoyo de las cámaras empresariales y de los órganos colegiados de profesionistas, que también cuentan con bolsas de trabajo.

En México el gobierno federal, en coordinación con cada estado, tiene el Servicio Nacional de Empleo, que se apoya mediante la página web <www.empleo.gob.mx>, a la que llama "Portal del empleo".

Portales de empleo (internet)

Hay empresas que brindan el servicio de bolsa de trabajo por internet mediante una página en la cual una empresa expone sus necesidades de personal y las personas ingresan o envían su currículum a este sitio para concursar por la vacante.

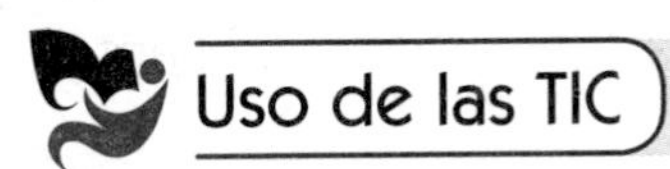

Busca tres portales de empleo y regístrate como trabajador de acuerdo con el perfil laboral de tu currículum. El comprobante de inscripción servirá como evidencia en tu portafolio.

Esta opción representa algunas ventajas para los trabajadores, pues el currículum se pone a la vista de muchas empresas (cientos y tal vez miles) no sólo de la región, sino del país e, incluso, a nivel internacional, sin tener que desplazarse a cada una. Estos sitios, además, cuentan con motores de búsqueda que te permiten encontrar opciones acordes con tu perfil laboral, tiempo, lugar y salario deseado.

Participar en esta opción no tiene costo para los trabajadores; los sitios cobran una cuota a las empresas por el servicio.

Publicidad

Nos referiremos por publicidad a los medios masivos de comunicación, como televisión, radio, periódicos y revistas. Los dos primeros son los menos utilizados, principalmente por su alto costo y porque, en general, resultan efímeros (es decir, difícilmente se repetirá el mismo anuncio a lo largo del día, por lo que sólo aquellos que perciban el anuncio en el tiempo en que es trasmitido sabrán de la vacante). El medio más recurrido de este tipo es el periódico, pues atiende las necesidades de comunicación y publicidad en una manera relativamente constante, por su emisión cotidiana; en el caso de las revistas, son poco utilizadas para el reclutamiento de personal, dado que éstas se publican en periodos más holgados (por lo regular en periodo catorcenal), y por ello no funcionan tan bien como los periódicos para la difusión de vacantes.

En la medida en que el uso de internet se ha incrementado en nuestro país y se ha facilitado más su acceso para la población, ha bajado la popularidad de los medios impresos y, con ello, de los anuncios de trabajo, que resultan cada vez menos frecuentes.

Algunos periódicos tienen ediciones en su página web, en la cual publican los mismos anuncios que en su forma impresa; otros, sólo muestran noticias. También se puede revisar estas opciones.

De igual manera existen páginas web en donde se hacen todo tipo de anuncios, principalmente de compra-venta, de renta y de empleo. A diferencia de los sitios de búsqueda de empleo, que funcionan como intermediario, en estas páginas de anuncios una empresa difunde el aviso de una vacante y el candidato debe establecer contacto directamente con la empresa a través del correo electrónico, del teléfono o personalmente, sin depender ya de la página web.

Ferias de empleo

Son eventos donde un grupo organizado de empresas o empleados presentan las opciones de empleo que tienen disponibles para que los trabajadores acudan y, en un solo recinto, evalúen las opciones a las que pueden ser candidatos. En caso de que no se cuente con una vacante acorde con el perfil de algunos de los candidatos, éstos pueden dejar su currículum para que se agregue a la cartera de reclutamiento de cada empresa.

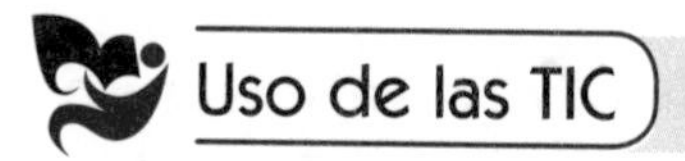

Consulta en la página de la STPS (¿Sabes qué significa?) la sección correspondiente a las ferias de empleo, y ubica la próxima que vaya a realizarse en tu localidad. Busca toda la información necesaria y acude para conocer el ambiente en que se realizan estos eventos y cómo podrías tener un primer acercamiento con las empresas que participan.

Colegio de profesionales y asociaciones gremiales

Algunos grupos o colegios de profesionales y asociaciones de trabajadores, con el fin de apoyar a sus miembros y respaldar sus acciones, cuentan con una bolsa de trabajo, la cual es específica y característica del gremio que la promueve. Así, una empresa que busque contadores puede recurrir al colegio de contadores de la localidad; de ahí la conveniencia de que dejes tu currículum en la organización que sea acorde con tu perfil.

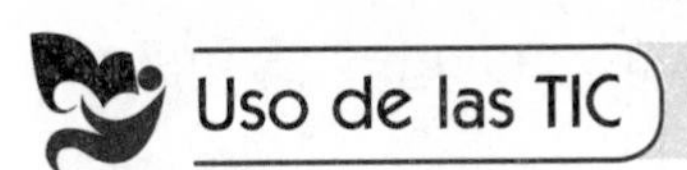

Busca tres colegios de profesionistas que sean acordes con tu perfil profesional y que ofrezcan una bolsa de trabajo a sus agremiados. Por correo electrónico, solicita información sobre cómo puedes participar como un candidato, aun cuando no seas miembro de la organización. Guarda la copia de tu correo enviado, como un comprobante, en el portafolio de evidencias.

Empresas de selección de personal

Esta modalidad de empresas brinda un servicio integral en el área de Reclutamiento y Selección de Personal, y proporciona otros servicios, como capacitaciones. Si bien, originalmente, estas empresas se dedicaban al reclutamiento y la contratación de personal para puestos clave en los niveles alto, medio alto y medio de las empresas que las contratan, en realidad, hoy trabajan con cualquier tipo de vacantes.

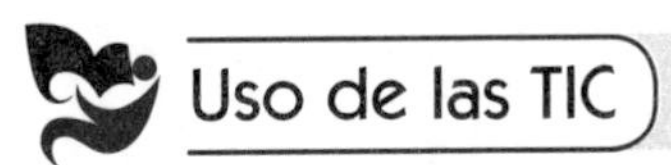

Busca por internet tres empresas de reclutamiento y selección de personal en tu localidad. Identifica las diferencias que hay entre una empresa y otra, y presenta en las tres tu currículum por vía electrónica. Guarda en el portafolio de evidencias la copia del correo enviado o la confimación que te envíe cada empresa de que ya recibió tu información.

Para ofertar su demanda de servicio, estas empresas utilizan varios medios, como la prensa, el volanteo e internet, y puedes contactarlas personalmente, por teléfono o por correo electrónico.

Dichas empresas dan un servicio integral a las empresas que las contratan, el cual incluye el reclutamiento, la entrevista, la evaluación y la confirmación de referencias. Los costos generados por esta labor son absorbidos por la empresa contratante.

La *Ley Federal del Trabajo* estipula que a un trabajador no se le puede pedir ninguna remuneración económica para obtener un trabajo, por lo que este proceso, para el candidato, debe ser gratuito.

Para tu portafolio de evidencias elabora un cuadro –el cual puedes desarrollar en el procesador de textos o bien utilizar el programa de hoja de cálculo–, en donde incorpores cada uno de los siguientes recursos o medios para buscar trabajo:

- Red de contactos.
- Centros escolares.
- Bolsa de trabajo en las empresas.
- Servicio público de empleo.
- Portal de empleo.
- Medios de publicidad.
- Ferias de empleo.
- Colegio de profesionales y asociaciones gremiales.
- Empresas de selección de personal.

Y en cada uno define tres opciones que estén en tu comunidad o a las que tengas acceso de una manera fácil. De cada opción incluye lo siguiente:

- Nombre correcto y completo.
- Dirección física.
- Teléfonos.
- Página web.
- Correo electrónico.
- Servicios que ofrece.

Valores y actitudes

Al cuadro anterior agrega dos columnas, en las cuales establezcas lo siguiente:

- Cómo evalúas los servicios que cada opción ofrece, justificando tus criterios para emitir tu opinión.
- Qué tan útil pueden resultar para ti los servicios que ofrece cada opción, es decir, qué tan productiva la consideras para encontrar una fuente laboral acorde con tu perfil.

Evaluación del desempeño

- Cuadro que describa los recursos que consideras que hay dentro de tu comunidad o a los que tienes acceso para encontrar trabajo. Se debe presentar como un documento impreso y en formato electrónico.

Evaluación del aprendizaje

Autoevaluación

Consulta, en la sección "Metología de este libro", la escala de evaluación en la página 15, para que consideres la escala con la que evaluarás los siguientes desempeños.

Desempeños	*Puntaje*	*Compromiso que puedo establecer para mejorar mi desempeño*
1.3. Eliges alternativas y cursos de acción con base en criterios sustentados y en el marco de un proyecto de vida.		
1.6. Administras los recursos disponibles teniendo en cuenta las restricciones para el logro de tus metas.		
4.1. Expresas ideas y conceptos mediante representaciones lingüísticas, matemáticas o gráficas.		
4.2. Aplicas distintas estrategias comunicativas según quienes sean tus interlocutores, el contexto en el que te encuentras y los objetivos que persigues.		
4.3. Identificas las ideas clave en un texto o discurso oral, e infieres conclusiones a partir de ellas.		
4.5. Manejas tecnologías de la información y la comunicación para obtener información y expresar ideas.		

(*Continuación*)

Desempeños	*Puntaje*	*Compromiso que puedo establecer para mejorar mi desempeño*
6.1. Eliges las fuentes de información más relevantes para un propósito específico, y discriminas entre ellas de acuerdo con su relevancia y confiabilidad.		
6.3. Reconoces los propios prejuicios, modificas tus puntos de vista al conocer nuevas evidencias, e integras nuevos conocimientos y perspectivas al acervo con el que cuentas.		
7.1. Defines metas y das seguimiento a tus procesos de construcción de conocimiento.		
7.3. Articulas saberes de diversos campos y estableces relaciones entre ellos y tu vida cotidiana.		
8.2. Aportas puntos de vista con apertura y consideras los de otras personas de manera reflexiva.		
8.3. Asumes una actitud constructiva, congruente con los conocimientos y las habilidades con los que cuentas dentro de distintos equipos de trabajo.		

1. De este bloque, ¿qué fue lo que más te agradó?

____

____

____

2. ¿Encuentras que lo que aprendiste en este bloque puedes aplicarlo en tu vida?

____

____

____

3. Para conocer con mayor profundidad y amplitud sobre lo que viste en este bloque, ¿investigarías sobre otros temas? Menciona por lo menos tres.

   a) ____

   ____

   ____

   b) ____

   ____

   ____

   c) ____

   ____

   ____

4. Los contenidos de este bloque, ¿sólo son conocimientos, o también representan cambios en tu actitud? ¿Por qué?

____

____

____

____

5. Tu aprendizaje, que abarca actitudes, esfuerzos y cambios personales, lo evalúas en forma general como: ____________________ debido a que: ____________________

____

____

____

____

____

____

Coevaluación

	Concepto	*Muy mal*	*Mal*	*Indistinto*	*Bueno*	*Muy bueno*
1	En el transcurso de este bloque se mostró participativo con *actitud* positiva.					
2	Puso *atención* a las explicaciones que brindó el facilitador y a las participaciones de los compañeros de clase durante este bloque.					
3	Se mostró *participativo* con todo el grupo, en especial con los equipos con los que ha trabajado.					
4	Mejoró la *comunicación* con los compañeros, tanto en expresiones como en ideas e intenciones.					
5	Se condujo con *honestidad* y *sinceridad*.					

Heteroevaluación

El facilitador evaluará en este cuadro el alcance que ha mostrado el estudiante en el logro de competencias, marcando un nivel de acuerdo con su observación durante la clase y tomando en cuenta el desarrollo de las actividades, la evaluación de desempeño y las evidencias de aprendizaje.

Ejemplificas de manera detallada y ordenada los diferentes medios existentes para buscar trabajo, lo que te permitirá visualizar las posibles oportunidades y hacer llegar con certeza tus documentos de presentación a las personas correspondientes.

Pésimo	Deficiente	Regular	Bueno	Excelente

Bloque IV

La entrevista de trabajo y las relaciones laborales

Competencia de bloque

Realizas una entrevista y un cierre de la búsqueda de trabajo, lo que te permite, en lo sucesivo, enfrentar en la realidad este proceso de una manera segura, correcta y exitosa.

Atributos de las competencias genéricas

1.3. Eliges alternativas y cursos de acción con base en criterios sustentados y en el marco de un proyecto de vida.
1.7. Administras los recursos disponibles teniendo en cuenta las restricciones para el logro de tus metas.
4.1. Expresas ideas y conceptos mediante representaciones lingüísticas, matemáticas o gráficas.
4.2. Aplicas distintas estrategias comunicativas según quienes sean tus interlocutores, el contexto en el que te encuentras y los objetivos que persigues.
4.3. Identificas las ideas clave en un texto o discurso oral, e infieres conclusiones a partir de ellas.
4.5. Manejas tecnologías de la información y la comunicación para obtener información y expresar ideas.
6.1. Eliges las fuentes de información más relevantes para un propósito específico y discriminas entre ellas de acuerdo con su relevancia y confiabilidad.
6.2. Evalúas argumentos y opiniones, e identificas prejuicios y falacias.
6.3. Reconoces los propios prejuicios, modificas tus puntos de vista al conocer nuevas evidencias, e integras nuevos conocimientos y perspectivas al acervo con el que cuentas.
6.4. Estructuras ideas y argumentos de manera clara, coherente y sintética.
7.1. Defines metas y das seguimiento a tus procesos de construcción de conocimiento.
7.3. Articulas saberes de diversos campos y estableces relaciones entre ellos y tu vida cotidiana.
8.2. Aportas puntos de vista con apertura y consideras los de otras personas de manera reflexiva.
8.3. Asumes una actitud constructiva, congruente con los conocimientos y las habilidades con los que cuentas dentro de distintos equipos de trabajo.

Para reflexionar

Lee la siguiente historia.

Roberto, después de egresar del bachillerato, siguió una buena metodología para la búsqueda de trabajo: llenó completamente la solicitud de empleo y elaboró su currículum de manera que éste lo describiese como el candidato idóneo para el puesto que buscaba y como la persona productiva que es. Un día, al llegar a su casa, luego de ir a dejar una solicitud, su madre le informó que en su ausencia le llamaron telefónicamente de una empresa para pedirle que se presentara de forma inmediata. A Roberto le interesaba mucho entrar a trabajar a esa empresa, por lo que investigó más de ella; se enteró de que sus empleados gozaban de buenos sueldos, de un ambiente laboral saludable y de grandes oportunidades de crecimiento profesional.

Aún era temprano y Roberto alcanzaba a presentarse a tiempo a la cita. Apenas pudo peinarse y tomar agua para salir lo más rápido posible. Cuando llegó a la empresa, le informó al personal de seguridad que se le había citado por teléfono. Uno de los guardias le pidió que esperara a que el responsable de reclutamiento se desocupara.

Después de esperar una hora, Roberto tuvo una entrevista con el jefe de reclutamiento, quien le pidió más detalles sobre la información que puso en su currículum; le preguntó acerca de la escuela, de sus amistades y de su familia, de por qué quería trabajar, de lo que sabía hacer, lo que podía hacer y de lo que le gustaba. Roberto se puso nervioso; sintió que no estaba dando las respuestas correctas a lo que preguntaban, y en muchas ocasiones no supo ni qué contestar, por lo que se quedó callado.

Antes de llegar a la empresa, Roberto pensaba que ese día iba a comenzar a trabajar; sin embargo, para sorpresa suya le informaron que tendría que presentarse en la empresa en varias ocasiones más, unas para una entrevista de quien sería su jefe inmediato, otras para los exámenes de conocimiento, una más para la evaluación psicométrica y, si todo salía bien, revisarían su estado de salud, con un examen médico, por lo que también tendría que presentarse en otra ocasión.

Además, el jefe de reclutamiento le informó que si bien era un buen candidato en un inicio, por política de la empresa él tendría que elegir tres candidatos de aquellos que hubiesen aprobado las evaluaciones, y luego, de las tres opciones, determinar cuál sería el candidato adecuado para ocupar el puesto. Eso, desde luego, no era una tarea fácil y llevaría algunos días.

Ahora responde y comenta las siguientes preguntas. Por favor, justifica tu punto de vista.

1. ¿Consideras que Roberto estaba preparado para una entrevista de trabajo?

____

____

2. ¿Roberto conoce el proceso de reclutamiento y selección de personal en las empresas?

____

____

3. ¿Cuál es el objeto de aplicar un examen de conocimientos?

____

____

4. ¿Qué sentido tiene una evaluación psicométrica?

____

____

5. ¿Qué se busca en un examen médico de ingreso laboral?

____

____

LA ENTREVISTA DE TRABAJO

Nunca existe una segunda oportunidad
para dar una buena primera impresión.

Anónimo

Para iniciar

El reclutamiento y la selección de personal en una empresa no son acciones azarosas, ni actividades en las que deba prevalecer la buena voluntad para determinar quién debe cubrir un puesto de trabajo. Estos procesos están orientados a encontrar a la persona que cuenta con la capacidad, la habilidad, los conocimientos y los rasgos de personalidad que le permitan desempeñar de la mejor manera una determinada serie de actividades y tomar decisiones con el fin de obtener y mantener la productividad de la empresa.

Es por ello que los reclutadores de personal deben seguir una metodología con el fin de asegurar que el personal que ingresa a la empresa es el idóneo. Este proceso, por lo general, se realiza en varias etapas. Cada empresa determina la forma en que se lleva a cabo, por lo cual debes estar preparado para superar cada una de estas fases y conocer a que están orientadas. Entre lo que tienes que afrontar se encuentran las siguientes actividades:

- Entrevista inicial.
- Evaluación de conocimientos.
- Evaluación psicométrica.
- Evaluación médica.
- Entrevista técnica.
- Entrevista final o de contratación.

Conocimientos

La entrevista inicial es el primer paso y es, tal vez, el más importante en la búsqueda de trabajo. El llenado de la solicitud de empleo, la elaboración del currículum, la carta de presentación, la visita a empresas, el uso de las bolsas de trabajo, las ferias de empleo y otros recursos tienen como fin la búsqueda de una entrevista de trabajo en la que se tenga la oportunidad de convencer al reclutador de que somos las personas idóneas para el puesto vacante que se ofrece.

La preparación para una entrevista laboral es muy importante; de la manera en que te conduzcas en la entrevista dependerá, en buena medida, que obtengas el trabajo. Es por ello que debes estar bien preparado para brindar una imagen de seguridad y confianza en ti mismo y en lo que puedes hacer. Esto se logra, por un lado, manteniendo la situación bajo control, y por otro, teniendo la seguridad en lo que expresas y haces.

La entrevista es un proceso por el cual una persona, que se conoce como entrevistador, realiza una serie de preguntas a otra, al entrevistado, con el fin de conocer, reconocer y corroborar información, actitudes, ideas y pensamientos de este último, todo con el fin de identificar las características de viabilidad para ocupar un lugar laboral dentro de la empresa. Por lo general, estos procesos se realizan en forma presencial, es decir, frente a frente; si bien, en la actualidad, con el uso de la tecnología, se pueden realizar mediante llamadas telefónicas o con el apoyo de la videollamada o videoconferencia.

Para iniciar tu preparación para la entrevista es recomendable:

- Que conozcas lo más que puedas de la empresa en la que vas tener la entrevista (tamaño, producción, productos, sistemas, problemas, etc.).
- Que identifiques tus capacidades, aptitudes, formación y experiencia, y las utilices para demostrar tus puntos fuertes.
- Que antes de entrar a la entrevista leas tu currículum con detalle para que recuerdes cada uno de los puntos que expresas.

- Que reconozcas y aceptes tus áreas débiles, y que tengas argumentos para defenderlas.
- Que cuides tu apariencia, y que ésta sea acorde con el puesto que solicitas; en cualquier caso siempre debes presentarte con buen aseo personal.
- Que evites usar lentes oscuros en la entrevista.
- Que te presentes solo a la entrevista; si por alguna razón tienen que acompañarte, que la otra persona se quede afuera.
- Que tomes en cuenta que la puntualidad distingue; date la oportunidad de llegar algunos minutos antes.

Aquí te presento algunas recomendaciones que puedes seguir durante la entrevista.

En forma general:

- La forma de estrechar la mano y de sentarte hablan de tu personalidad.
- Saluda en forma convencional.
- Espera a que te extiendan la mano.
- Saluda con un apretón de manos suave y firme, sonriendo y viendo a los ojos.
- Espera hasta que te inviten a sentarte.
- Muéstrate tranquilo y atento.
- No fumes.
- No interrumpas a tu interlocutor.
- Dirígete siempre de "usted".
- Mantén contacto visual con tu entrevistador, no esquives la mirada.
- Procura evitar conductas de nerviosismo, como morderte las uñas, golpear la mesa, rascarte la cabeza, moverte mucho en el asiento, etcétera.
- Deja que tu interlocutor tome la iniciativa en la entrevista.
- Cuida tu lenguaje; evita palabras malsonantes.
- Sé directo y sencillo en tus respuestas.
- Contesta las preguntas en forma contundente.
- Mantén una distancia prudente con el entrevistador, ni lejana ni muy cercana.
- Evita poner los codos sobre la mesa del entrevistador.
- Antes de entrar a la entrevista, pon tu celular en función de vibrador o apágalo.
- No cruces los brazos, suele interpretarse como desafío o cerrazón.
- Si te ofrecen algo de tomar, pide agua solamente.

Las expresiones:

- Responde a las preguntas en forma clara y breve; evita las explicaciones.
- Di siempre la verdad.

- Reflexiona la respuesta antes de expresarla.
- No uses frases o palabras rebuscadas.
- No evadas las preguntas o dudas.
- Evita dar respuestas de monosílabos: "Si", "No".
- Reflexiona la pregunta y lo que vas a responder, pero tampoco utilices mucho tiempo.
- Destaca tu experiencia, tu formación y tus capacidades que puedas demostrar.
- Muestra interés por el trabajo, pero no supliques que te lo den a ti.
- No te niegues a responder preguntas; puedes usar frases cortas sin brindar explicaciones.
- Evita expresiones de desprestigio de trabajos anteriores.

La actitud:

- Solicita un trabajo como una forma de crecimiento personal, pero no supliques como si fuera una limosna.
- Piensa y actúa en forma positiva; sé asertivo.
- Muestra deseos de trabajar, de que te gusta la empresa, pero no implores el trabajo (aun cuando tu necesidad sea grande).
- Evita las críticas, ya sea de trabajos y jefes anteriores, de tu familia, etc.; muéstrate firme y de buen humor.
- Nunca olvides la cortesía; el agradecimiento, un saludo, una sonrisa y una despedida siempre hablan bien de tu persona.

Qué debes evitar decir y hacer en la entrevista de trabajo:

- Llegar tarde; si así eres para la entrevista, ¿cómo serías para presentarte a trabajar?
- Mal vestido o falto de aseo. Tal como eres, es tu forma de desempeño laboral. Si eres sucio o descuidado con tu imagen, tu trabajo será de igual manera.
- Llevar compañía. Habla de reducida independencia e iniciativa.
- Provocar interrupciones. Para eso apaga el teléfono celular o ponlo en función de vibrador.
- Ver continuamente el reloj. Demuestra ansiedad y evitación de la situación, o que hay cosas más importantes que tienes que hacer. Relájate y confía en ti mismo.
- Demostrar pesimismo, desprecio o desgana. Busca ser positivo, asertivo, aun cuando la situación que se te presente no sea del todo agradable.
- Ser descortés. Aun cuando te informen que en esa empresa no te contratarán, esa persona podría recomendarte en otra oportunidad si dejas abierta una puerta.
- Disimula el tema económico. Tu intención es trabajar por una remuneración o salario, pero centrarte en el tema denota ansiedad y desesperación, por lo que da una mala imagen. Pregunta, sin enfatizar demasiado.

Mi plan de acción

Una de las primeras cosas que debes tomar en cuenta es la vestimenta que usarás para la entrevista.
Si te es posible, unos días antes de la entrevista acude a la empresa sin presentarte, y observa el código de etiqueta que utilizan los empleados. Ese es el mejor parámetro para saber qué usarás el día de la entrevista. Salvo en contadas ocasiones, como sucede en algunos despachos arquitectónicos o empresas de corte juvenil, como un gimnasio, lo ideal es acudir con traje sastre de colores sobrios, como azul marino o gris Oxford (si no tienes un traje completo, puedes usar un pantalón de vestir de los mismos colores, una camisa blanca, una corbata, y aun un suéter, todo perfectamente limpio y planchado). En el caso de las mujeres, pueden usar pantalón o falda, pero si eligen falda, ésta debe llegar a la altura de la rodilla y tener, de preferencia, un corte recto.
En ambos casos, los zapatos deberán ir bien lustrados y limpios. Los tacones deben ser bajos. En el caso de los hombres es recomendable usar una corbata sobria que no tenga estampados infantiles. En cuanto a los accesorios, para las mujeres, es preferible usar aretes cortos color plata u oro. Se pueden acompañar de un dije o collar discreto. El peinado también es muy importante; para los hombres se pide un corte clásico, y en el caso de las mujeres preferentemente una coleta baja, pero bien firme. El maquillaje debe ser muy discreto. En ambos casos procuren llevar un bolígrafo, ya sea en la bolsa o en el saco (o en la camisa), ya que muy probablemente tendrán que anotar alguna información. Dentro del portafolio o bolsa también es útil llevar una libreta para tomar notas.
El último toque es un poco de perfume, que apenas sea perceptible para el entrevistador.

Para finalizar una entrevista de trabajo, el entrevistador te pedirá que manifiestes si tienes alguna duda o pregunta que realizar; este es el momento oportuno para:

- Aclarar alguna situación en la que no fuiste explícito o contundente en alguna respuesta.
- Para reafirmar el motivo por el cual tú puedes ser un buen candidato (claro, sin llegar a ser arrogante).
- Destacar alguna cualidad o característica que consideras importante para ocupar el puesto y que no se haya abordado durante la entrevista.
- Reafirmar tu interés por ser parte de la organización o empresa.

Además, asumiendo una actitud de responsabilidad, compromiso e interés personal, puedes solicitar que se te informe:

- Si se requiere que entregues algún documento específico.
- Si serás llamado a otra entrevista, examen psicométrico, médico o de conocimientos; es decir, si tendrás que volver a presentarte.

- Pedir que se te indique en qué lapso puedes esperar una respuesta, sea favorable o negativa (recuerda que en algunos casos la contratación puede ser casi inmediata, mientras que en otros puede llevar algún tiempo en definirse. Depende de la empresa, del puesto y, probablemente, de diferentes factores que tú desconoces).
- En caso de acordar una segunda comunicación, define claramente si por parte de la empresa llamarán o si deberás presentarte de nuevo, realizar una llamada telefónica o enviar un correo electrónico.
- No dejes todo a la memoria; lo mejor es anotar los acuerdos, la persona con quien te diriges, la dirección, el teléfono, el correo electrónico, la fecha y hora.

Las referencias laborales

Las referencias laborales son aquellas personas que te conocen de un tiempo considerable y que pueden destacar tus cualidades y aptitudes para el desempeño laboral. Estas opiniones pueden comunicarse a través de una "carta de recomendación", que, por lo general, puedes conseguir de tu trabajo anterior.

En caso que no tengas un trabajo previo, puedes recurrir a personas mayores de edad, de preferencia de buena reputación, que te conozcan y que puedan brindarte una "carta de recomendación personal", en donde se informe del tiempo que tienen de conocerte y en donde resalten tus cualidades de desempeño. Es preferible que estas personas no sean familiares.

Tipos de entrevista de trabajo

Una entrevista de trabajo se realiza entre un representante de la empresa, que suele ser del área de Reclutamiento de Personal y Recursos Humanos, y la persona interesada en ocupar un puesto dentro de la empresa. En la entrevista se busca conocer aspectos generales y el perfil laboral del entrevistado; además, ésta puede conducirse de diferentes formas, según lo determine el representante de la empresa, que es quien realiza la entrevista.

Hay diferentes tipos de entrevista laboral; de acuerdo con sus características, se tiene lo siguiente:

Por la forma de conducción:

- Entrevista estructurada.
- Entrevista no estructurada.
- Entrevista semiestructurada.
- Entrevista de presión.

Por el medio en que se realiza:

- Entrevista presencial.
- Entrevista telefónica.
- Entrevista mediante cámara web.

Entrevista por la forma de conducción

Entrevista estructurada. Se realiza con base en una serie de preguntas previamente establecidas y que no tienen ninguna variación. Tal como si fuera un formato por llenar. Permite al entrevistador unificar los criterios y valorar al candidato, lo que permite un trabajo más dinámico en menos tiempo, pero reduce la posibilidad de profundizar en algún tema de interés. Por lo mismo, el tiempo de realización puede variar, pero generalmente resulta breve o muy corto. Su objetivo está enfocado solamente en obtener información.

Entrevista no estructurada. También se le conoce como entrevista libre. Se caracteriza por que en ella se hacen preguntas abiertas, sin un orden definido o por lo menos así lo hace sentir el entrevistador al entrevistado; tal pareciera que fuese una charla de café. Las preguntas y la profundización de la información van surgiendo durante la entrevista.

El entrevistador tiene una idea, hasta cierto punto vaga, de lo que va a preguntar; por ello, improvisa y toma notas de lo que va surgiendo, todo a partir de las respuestas que se obtienen. Se enfoca más en conocer las reacciones del entrevistado que en los hechos.

Este tipo de entrevistas suele realizarse en un tiempo prolongado, ya que profundiza en algunos aspectos y no toca otros, que tal vez son igualmente importantes. Se utiliza con mucha frecuencia.

Entrevista semiestructurada. También se le conoce como mixta. Definitivamente es de las más utilizadas, pues en ella se plantean preguntas y, de acuerdo con la respuesta, se profundiza o no en los detalles para conocer a fondo al entrevistado.

Este tipo de entrevista requiere una buena cantidad de tiempo, si bien la información que se obtiene resulta lo suficientemente amplia y profunda como para tomar una decisión respecto a la contratación o el rechazo del candidato. Permite comparar con bases los diferentes estilos de desempeño de los candidatos a un mismo puesto. En su conducción suele darse un ambiente cálido en el trato, sin dejar de ser cuestionador.

Entrevista de presión. Está orientada al uso de métodos de tensión, los cuales sirven para indagar las reacciones, las actitudes y la forma de resolver una situación extrema por parte del candidato.

Definitivamente, la entrevista de presión es de las menos utilizadas; por lo general se utiliza en candidatos de puestos directivos o que así lo ameriten, pues, como ya se dijo, se requiere conocer la reacción del candidato ante situaciones de presión. Ante situaciones incómodas algunos candidatos pueden perder el control de sus respuestas, y esto representa para los reclutadores un indicador descalificador, ya que la contratación de este tipo de prospectos se traduce, al mediano plazo, en problemas para la empresa.

Para lograr la tensión, se critica y se contradice al candidato sobre sus puntos de vista, incluso sobre su persona; se le interrumpe para no dejarlo expresar sus ideas; se dejan espacios de silencio para poner en duda lo que el candidato hace, o no se le da importancia. Siempre que se hace este tipo de entrevista, el representante de la empresa, al finalizar, le hace saber al entrevistado el motivo por el que se condujo de esa forma, que no corresponde con ningún aspecto personal; todo ello para que se relaje y continúe en el proceso de reclutamiento de personal.

Entrevista por el medio en que se realiza

Entrevista personal. Definitivamente es la más utilizada. Se lleva a cabo en un espacio físico dentro de la empresa, y por lo general en forma privada, sin interrupciones. Ahí, entrevistador y candidato conversan sobre las características y el perfil de este último, así como también de las necesidades de la empresa en torno al puesto vacante. Se acostumbra colocar un escritorio o mesa entre los dos, y que estén sentados.

Entrevista telefónica. Un recurso muy poco usado, si bien es útil para confirmar u obtener información básica que no está incluida o detallada en el currículum, por ejemplo, la edad o el estado civil, y que es importante conocer para determinar si se le llama al candidato para una entrevista formal. Este tipo de entrevista se utiliza básicamente cuando el candidato radica a una larga distancia de la empresa solicitante, lo que permite una reducción de costos y tiempos de traslado.

Su uso se ve reducido por que no da la certeza de que el interlocutor sea realmente la persona que se desea contactar, o porque no se obtiene una referencia visual de las reacciones corporales del entrevistado, por lo que se torna muy fría.

Entrevista por cámara web. Haciendo uso de las Tecnologías de Información y Comunicación (TIC), las empresas han recurrido al uso de las cámaras web o de programas de videoconferencia, pues éstos representan una opción para reducir costos por el traslado del candidato, además de ahorrar tiempo en el proceso de selección. Se utiliza para evaluar candidatos que vivan en otra ciudad, e incluso en otro país.

Este recurso permite conocer a distancia las reacciones físicas del entrevistado, como si la entrevista fuera presencial, aunque con algunas limitantes; es importante que aquel candidato que sea entrevistado por esta vía tome las medidas que permitan dar la mejor impresión.

A continuación encontrarás algunos consejos para realizar eficientemente una entrevista de trabajo mediante cámara o software de internet.

- Ten siempre activo y actualizado tu programa de comunicación por web. No esperes al último minuto para verificar que el programa funciona bien. Revisa la conexión a internet, y que la imagen y el audio sean de óptima calidad.
- Elige un lugar cuyo fondo sea liso, esté limpio y ordenado, y que tenga buena iluminación. Verifica que no haya interrupciones de gente que pase (por cuestión de imagen y para que no te distraigan), y de que no haya ruido ambiental, como el sonido del tráfico afuera de la casa o la escuela.
- Aun cuando estés en la comodidad de tu casa, preséntate a través de la cámara con un buen aseo personal y bien peinado; además, porta una ropa formal, propia de trabajo, sin rayas o colores muy llamativos.
- Aun si la entrevista es por cámara web, recuerda que estás en una entrevista de trabajo, no chateando con los amigos; por ello, prepárate para las preguntas que te pueda hacer el entrevistador, tal como si se tratara de una entrevista presencial.
- Realiza la entrevista bien sentado, recto, sin recargarte en un codo o resbalarte en el asiento, por muy incómodo que éste sea. Cierra todos los programas de la computadora que pudieran distraerte. Permanece mirando fijamente a la cámara. No voltees para otro lado; parecería que recibes el apoyo de otra persona. Procura moverte poco en el asiento, y evita mecerte.

Las preguntas en la entrevista de trabajo

Durante la entrevista, se te plantearán diferentes preguntas con el fin de conocer más sobre tu persona, tus capacidades, tus habilidades, tus experiencias y, sobre todo, de lo que eres capaz de realizar y de lo que puedes aportar a la compañía.

Recuerda que no hay dos entrevistas de trabajo iguales; cuenta mucho el perfil del entrevistador y de tu desempeño durante cada entrevista, por lo que debes ir preparado a todo lo que se te pregunte. Por lo general, se abordan las siguientes áreas y temas:

Aspectos de personalidad:

- Háblame de ti.
- Cuéntame de una situación problemática que hayas vivido y de cómo la resolviste.
- Para ti, ¿cuál es el motivo por el que debas ser contratado?
- ¿Tu estilo de trabajo es independiente o te gusta trabajar en equipo?
- ¿Cómo te identificas más: como un líder a quien los demás siguen, o como un seguidor?

- Háblame de tu decisión más importante que has tomado en la vida.
- Describe tu personalidad en cinco palabras.
- ¿Qué es lo que has aprendido de tus fallas y errores?
- ¿Cuáles son los valores que rigen tu vida y cómo los describes?
- ¿Qué es lo que más te incomoda en un ambiente laboral?
- Ante situaciones de presión, ¿cómo reaccionas?
- ¿Cuál crees que es el concepto que tengo yo de ti en este momento?
- ¿Cómo son tus momentos de descanso?
- Descríbeme a tu familia.

Procura llegar a tu cita por lo menos 15 minutos antes de lo programado; esto te dará la oportunidad de llegar con calma, pasar al baño y revisar tu buena presentación. Toma un poco de agua antes de la entrevista, y evita mascar chicles o comer dulces durante ésta. Un par de minutos antes de la cita apaga tu celular, o al menos activa la función de vibrador.

Aspectos de formación:

- ¿Qué te llevó a realizar los estudios que tienes hasta ahora?
- ¿Cuál es la materia que más te ha gustado?
- ¿Cuál es la materia que menos te ha gustado?
- ¿Cuál es el principal problema que has tenido con tus maestros?
- ¿Qué piensa tu familia de que continúes o dejes de estudiar?
- Como estudiante, ¿cuál es tu mayor logro?
- En tu etapa de estudiante, ¿perteneciste a alguna organización?
- De continuar estudiando, ¿en qué te gustaría especializarte?
- Durante tu etapa de estudiante, ¿trabajaste?

Aspectos de trabajos anteriores:

- ¿Qué trabajos has desempeñado?
- ¿Cuáles fueron, en general, tus funciones en los trabajos anteriores?
- ¿Qué sueldos has recibido?
- Lo que te pagaban ¿estaba en proporción a lo que desempeñaste?
- ¿Cuál es el logro más significativo en tu trabajo?
- ¿Has tenido personas a tu cargo?
- ¿Cómo describes a tus antiguos superiores?
- ¿Cuál trabajo te ha gustado más y por qué?
- ¿Cuál es la situación más incómoda o desagradable que has tenido en tu trabajo?
- Describe al mejor jefe que has tenido.
- Describe al peor jefe que has tenido.

- ¿Cuáles son los conflictos que has tenido con tus compañeros?
- ¿Cómo lograste ingresar a tus trabajos anteriores?

Aspectos de expectativas laborales:

- ¿Por qué te interesa trabajar en esta empresa?
- ¿Qué pasaría si la compañía te pide que cambies de residencia?
- ¿Qué es lo que consideras que puedes aportar a esta empresa?
- ¿Cuáles son tus pretensiones económicas?
- Para este puesto al que concursas, ¿cuáles consideras que son tus puntos débiles?
- ¿Cómo te ves en esta compañía dentro de cinco años?
- ¿Cómo es la gente, los compañeros y los jefes con los que te gustaría trabajar?
- De tus anteriores trabajos, ¿podemos pedir referencias de ti?
- En caso de ser aceptado, ¿cuándo puedes incorporarte a trabajar con nosotros?
- ¿Tienes otros ingresos económicos?
- ¿Has sido llamado por otras empresas para una entrevista de trabajo?

Para finalizar la entrevista, ofrece la mano y una frase cordial como: "Muchas gracias por la entrevista, quedo a sus órdenes". No pierdas la concentración de la proyección de seguridad y experiencia que estás dando hasta que te retires completamente del lugar.

La evaluación del candidato

Como se vio al inicio de este bloque, el proceso de reclutamiento y selección de personal lleva varias etapas. Ya hemos revisado la más común, la entrevista, y ahora tienes que prepararte para las siguientes etapas, que son:

Evaluación de conocimientos

Un examen de conocimientos busca reconocer la información y el aprendizaje obtenido durante los estudios y a través de la experiencia laboral; es decir, se busca identificar el grado de nociones, habilidades y actitudes (entendamos por ello competencias) que tiene el candidato para desempeñar un determinado puesto.

Este examen puede abarcar conocimientos generales o específicos, o bien ambos; esto lo determina la empresa de acuerdo con las características del puesto vacante. Para lograr un mejor desempeño o un resultado positivo, lo principal es no perder la calma y la concentración en la tarea, por lo que es recomendable que tengas en cuenta las siguientes recomendaciones:

- Al recibir el examen, y si no te lo informan, pregunta cuánto tiempo tienes para responder todas las preguntas.
- Considera que si te otorgan ese examen es porque se te considera que tienes los conocimientos suficientes para responderlo. No te van a dar un examen de contaduría cuando tú vas a trabajar en el área de químicos. Por ello puedes estar tranquilo y relajado.
- Asegúrate de que entiendas las instrucciones para responder el examen; si no, pregunta al examinador. Por este "sencillo" problema podrías no ser contratado.
- Administra tu tiempo. Aunque por lo general los exámenes están diseñados para que puedan resolverse por completo, trata de atacar primero las preguntas en las que te sientas más seguro para responder y luego regresa a aquellas preguntas en las que tienes que reflexionar o realizar cálculos. Para finalizar, atiende las que consideras que son más difíciles.
- Contesta el examen con rapidez; si al final te queda tiempo, revisa las respuestas para verificar o cambiar lo que ya resolviste.
- Prepárate con tiempo: preséntate en las mejores condiciones mentales y físicas, bien dormido y descansado, bien alimentado e incluso con ropa cómoda.

Para que tu entrevista sea un éxito, antes de entrar a la oficina de reclutamiento respira profundamente y repite en tu mente que tú puedes hacerlo y que estás preparada o preparado para demostrarlo.
Al momento de presentarte con el personal de Recursos Humanos, extiende tu mano para saludarlo con una frase cordial como: "Encantado de conocerlo, buenos días".
Al entrar al lugar, no te sientes en la silla hasta que el entrevistador te invite a sentarte. Ten mucho cuidado de no colocar tu portafolio o bolsa sobre el escritorio del entrevistador, ya que esto es invasivo y pone una barrera en la comunicación. Es mejor colocar tus cosas en una silla contigua o en el piso.

Evaluación psicométrica

Los *tests* o pruebas psicológicas son instrumentos que aportan información importante al proceso de selección de personal, al establecer un perfil del candidato, en cuanto a su capacidad intelectual y su desarrollo conductual, de manera que sea posible predecir cuál será el desempeño de la persona en el puesto vacante.

En los *tests* psicológicos, a diferencia de los de conocimiento, no existe una respuesta correcta o incorrecta; sencillamente existen los parámetros que describen. Aun así es conveniente seguir algunas recomendaciones.

- Preséntate lo más relajado posible; la tensión que genera una entrevista puede influir en tu desempeño, describiéndote muy diferente de lo que eres en realidad.
- Responde con toda honestidad. Evita responder como tú crees que quisieran que respondieras; es fácil que caigas en contradicciones, lo que afecta tu evaluación.
- Responde tal como tú eres, no busques impresionar a nadie. Sé natural.
- Si tienes duda de cómo se contesta alguna interrogante, puedes pedir que se te explique cómo responder, mas no solicites que se te dé la respuesta correcta.
- Es común que una evaluación psicométrica se lleve un buen tiempo; si te sientes cansado, puedes solicitar que se te otorgue un receso para relajarte y luego seguir respondiendo.
- Una evaluación psicológica no es para medir algún grado de locura o trastorno mental; es para determinar el perfil de una persona. Si estás a la defensiva o crees que te acusarán de algo, lo más probable es que seas rechazado para ocupar el puesto de trabajo.

Evaluación médica

Una prueba médica laboral busca identificar los riesgos de salud a los que está o estará expuesto el trabajador, la detección temprana de enfermedades y la investigación de sus causas. Este examen busca reducir los eventos nocivos que dañen la salud del trabajador y la productividad de la empresa.

Aunque en muchas empresas no se practica, cada vez son más los centros de trabajo que adoptan esta medida con el fin de obtener mejores trabajadores que se desarrollen con productividad, y reducir el ausentismo por motivos de salud.

Este examen debe ser realizado por un médico titulado y con cédula profesional, de preferencia con especialidad en medicina del trabajo. En algunas empresas no se cuenta con un profesional de la salud, por lo que se recurre a servicios externos.

Un examen médico laboral dará como conclusión uno de los siguientes términos.

- **Apto.** Que el candidato es sano, con capacidad laboral determinada normal.
- **Apto con una patología preexistente.** Son aquellos trabajadores que presentan una patología, pero que se pueden desempeñar laboralmente en forma normal sin afectar su rendimiento, ni su salud. Tal vez puedan requerirse algunas precauciones.
- **Apto con una patología que pudiera agravarse con el trabajo.** Son personas cuya condición de salud puede agravarse con el desempeño laboral. Por ejemplo, la agudeza visual, las várices y las lesiones en la columna.
- **No apto.** Son personas con patologías, lesiones o secuelas de enfermedades o accidentes que tienen limitaciones orgánicas que no les permiten realizar un trabajo en la empresa y que, por sus condiciones físicas, no podrían desarrollar sus labores con facilidad.

Un examen médico laboral puede comprender una o varias de las siguientes acciones.

- Examen físico completo, que puede abarcar la exploración de todos los sistemas de funcionamiento del cuerpo humano.
- Radiografías.
- Electrocardiograma.
- Exámenes de laboratorio, incluyendo toxicológicos.
- Declaración del trabajador respecto a patologías de su conocimiento.
- Examen bucodental.
- Audiometría.

Evaluación técnica

La evaluación técnica consiste en una entrevista del posible trabajador con algún empleado experto en un tema de interés para la empresa, o bien con el superior inmediato con quien estaría a cargo.

En esta evaluación se pretende conocer aspectos específicos y necesarios para el correcto y eficiente desempeño del trabajador en un puesto determinado; por ejemplo, el dominio de un programa informático, el manejo de una maquinaria o equipo, el seguimiento de un procedimiento o norma, etcétera.

Esta evaluación no se aplica en todas las empresas ni para todos los puestos; sólo aplica en casos de alto nivel directivo o de conocimientos muy especializados.

Habilidades

1. Forma con tus compañeros equipos de cuatro integrantes; cada uno de ustedes deberá contar con su solicitud de empleo, debidamente completada, y su currículum.
   Consigan un par de sillas y un escritorio o mesa, además de una cámara de video o, en su defecto, pueden utilizar la cámara del teléfono celular o la de una computadora.
   Dos de los integrantes del equipo simularán una entrevista de trabajo semiestructurada; uno será entrevistador y otro el entrevistado. Un tercer integrante grabará la entrevista con la cámara de video, mientras que el cuarto integrante registrará todo tipo de observaciones y tomará notas sobre el proceso.
   Deberán realizarse cuatro grabaciones, en las que cada integrante participará como el entrevistado. Los resultados de este trabajo formarán parte de su portafolio de evidencias.
2. Ahora, el mismo equipo de trabajo realizará una entrevista de trabajo semiestructurada utilizando un sistema de comunicación vía cámara web; por ello, deberán conseguir dos computadoras con conexión a internet. Investiguen si en el plantel donde estudian hay facilidades para ocupar los equipos del laboratorio de Informática.
   De preferencia, los participantes de la entrevista, candidato y entrevistador, deberán ubicarse en espacios diferentes a fin de que no tengan, directamente, contacto visual o auditivo.
   La grabación de la entrevista se integrará al portafolio de evidencias.

Valores y actitudes

Agregarás al portafolio de evidencias un ensayo de, cuando menos, una cuartilla, en el que manifiestes la importancia de conocer el proceso de selección de personal y los beneficios que puedes obtener si estás lo suficientemente bien preparado para realizar una entrevista de trabajo y las evaluaciones de conocimiento, psicométricas y médicas.

Evaluación del desempeño

Cuadro descriptivo de las indicaciones hechas por el compañero que fungió como observador en la simulación de la entrevista presencial, y en el que se manifiesten las fortalezas (es decir, las áreas que hay que mantener y reforzar) y las áreas de oportunidad (esto es, las áreas donde hay que hacer cambios y mejoras para lograr un mejor desempeño). Dichas observaciones tienen que ser validadas o rechazadas con fundamentos, y deberán expresar las acciones concretas para obtener mejores resultados.

De igual manera, se desarrollará un cuadro evaluatorio correspondiente a la entrevista mediante cámara web.

LAS RELACIONES LABORALES

> Elige un trabajo que te guste y no tendrás que trabajar ni un día de tu vida.
>
> CONFUCIO

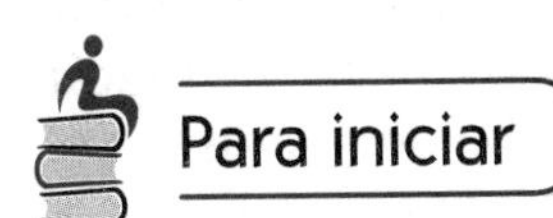

La *Constitución Política de los Estados Unidos Mexicanos* establece lo siguiente:

> **Artículo 123.** Toda persona tiene derecho al trabajo digno y socialmente útil; al efecto, se promoverán la creación de empleos y la organización social de trabajo, conforme a la ley.

Y la *Ley Federal del Trabajo* define al trabajador como:

> **Artículo 8o.** Trabajador es la persona física que presta a otra, física o moral, un trabajo personal subordinado.
>
> Para los efectos de esta disposición, se entiende por trabajo toda actividad humana, intelectual o material, independientemente del grado de preparación técnica requerido por cada profesión u oficio.

Más adelante establece lo que es una relación de trabajo y las formas que ésta tiene:

> **Artículo 20.** Se entiende por relación de trabajo, cualquiera que sea el acto que le dé origen, la prestación de un trabajo personal subordinado a una persona, mediante el pago de un salario.
>
> Contrato individual de trabajo, cualquiera que sea su forma o denominación, es aquel por virtud del cual una persona se obliga a prestar a otra un trabajo personal subordinado, mediante el pago de un salario.
>
> La prestación de un trabajo a que se refiere el párrafo primero y el contrato celebrado producen los mismos efectos.

Conocimientos

Además de lo anterior, la *Ley Federal del Trabajo*, en su capítulo II, habla sobre la forma y característica de la relación de trabajo:

> **Artículo 35.** Las relaciones de trabajo pueden ser por obra o tiempo determinado, por temporada o por tiempo indeterminado y, en su caso, podrá estar sujeto a prueba o a capacitación inicial. A falta de estipulaciones expresas, la relación será por tiempo indeterminado.

De manera más puntual, con el fin de fomentar la productividad, por un lado, y brindar oportunidades de trabajo a quienes no cuentan con una experiencia y trayectoria laboral, por otro, refiere:

> **Artículo 39-A.** En las relaciones de trabajo por tiempo indeterminado, o cuando excedan de ciento ochenta días, podrá establecerse un periodo a prueba, el cual no podrá exceder de treinta días, con el único fin de verificar que el trabajador cumple con los requisitos y conocimientos necesarios para desarrollar el trabajo que se solicita.
> El periodo de prueba a que se refiere el párrafo anterior, podrá extenderse hasta ciento ochenta días, sólo cuando se trate de trabajadores para puestos de dirección, gerenciales y demás personas que ejerzan funciones de dirección o administración en la empresa o establecimiento de carácter general o para desempeñar labores técnicas o profesionales especializadas.
> Durante el periodo de prueba el trabajador disfrutará del salario, la garantía de la seguridad social y de las prestaciones de la categoría o puesto que desempeñe. Al término del periodo de prueba, de no acreditar el trabajador que satisface los requisitos y conocimientos necesarios para desarrollar las labores, a juicio del patrón, tomando en cuenta la opinión de la Comisión Mixta de Productividad, Capacitación y Adiestramiento en los términos de esta Ley, así como la naturaleza de la categoría o puesto, se dará por terminada la relación de trabajo, sin responsabilidad para el patrón.

De igual manera, la *Ley Federal del Trabajo* fortalece la opción con otra disposición, para quienes no tienen conocimientos o habilidades específicas en el desempeño de una función o puesto:

> **Artículo 39-B.** Se entiende por relación de trabajo para capacitación inicial, aquella por virtud de la cual un trabajador se obliga a prestar sus servicios subordinados, bajo la dirección y mando del patrón, con el fin de que adquiera los conocimientos o habilidades necesarios para la actividad para la que vaya a ser contratado.
> La vigencia de la relación de trabajo a que se refiere el párrafo anterior, tendrá una duración máxima de tres meses o, en su caso, hasta de seis meses sólo cuando se trate de trabajadores para puestos de dirección, gerenciales y demás personas que ejerzan funciones de dirección o administración en la empresa o establecimiento de carácter general o para desempeñar labores que requieran conocimien-

tos profesionales especializados. Durante ese tiempo el trabajador disfrutará del salario, la garantía de la seguridad social y de las prestaciones de la categoría o puesto que desempeñe. Al término de la capacitación inicial, de no acreditar competencia el trabajador, a juicio del patrón, tomando en cuenta la opinión de la Comisión Mixta de Productividad, Capacitación y Adiestramiento en los términos de esta Ley, así como la naturaleza de la categoría o puesto, se dará por terminada la relación de trabajo, sin responsabilidad para el patrón.

Pero fortalece y defiende la situación del trabajador de la siguiente manera:

Artículo 39-C. La relación de trabajo con periodo a prueba o de capacitación inicial, se hará constar por escrito garantizando la seguridad social del trabajador; en caso contrario se entenderá que es por tiempo indeterminado, y se garantizarán los derechos de seguridad social del trabajador.

Aunque en la *Ley Federal del Trabajo* se hacen varias especificaciones sobre las relaciones de trabajo, éstas básicamente pueden clasificarse de la siguiente manera.

Tiempo determinado

Se conoce esta modalidad cuando un trabajador es contratado para iniciar y terminar de trabajar en fechas específicas, es decir, un determinado espacio de tiempo. Tales son los casos de quienes son contratados en tiendas departamentales por "temporada navideña", en hoteles por temporada alta o de vacaciones, etcétera.

Obra determinada

El término aplica en aquellas circunstancias en que no puede precisarse la duración del contrato, pues se está en virtud de que se realice una determinada obra y cuya realización depende de muchos factores externos. Ejemplo de esta modalidad se observa en los trabajadores de la construcción, que son contratados bajo un sueldo mensual y un horario determinado por el tiempo que dure la edificación de una casa; al terminarse dicho inmueble, se termina la relación laboral.

Por temporada

Este es un concepto que se incluyó recientemente en la *Ley Federal del Trabajo*, a finales de 2012, que tiene como fin alentar la contratación de personas que no tienen una referencia o antecedente laboral; tal es el caso de los recién egresados, los cuales tradicionalmente no eran contratados por no tener experiencia. Ahora con las reformas a la ley, es posible que los jóvenes encuentren una oportunidad para demostrar la capacidad y actitud que tienen para ser productivos.

Por otra parte, habrá personas que pueden ser muy productivas, pero que no tienen los conocimientos y habilidades para desarrollar un determinado trabajo. Ahora, una capacitación práctica dentro de la empresa puede darles esta oportunidad.

Tiempo indeterminado

Es lo que comúnmente se identifica como contrato base o por tiempo indefinido. Es el concepto de tener una relación laboral bien definida con todas las garantías que la ley establece, pero con el compromiso y la responsabilidad de llevar un sentido de productividad.

Habilidades

Descarga de internet tres formularios o "machotes" de contrato laboral; tienen que ser diferentes: de obra determinada, de tiempo determinado y por tiempo indefinido. Llena cada formulario con tus datos personales correctos y la información de una empresa ficticia.

Anexa los tres formatos a tu portafolio de evidencias.

Valores y actitudes

Elabora un cuadro comparativo que incluya las características de cada uno de los tres contratos; describe lo que para ti son los beneficios y las ventajas que ofrece cada uno, y cuál consideras que es el más óptimo para que tú trabajes, pero, al mismo tiempo, evalúa y establece qué es lo que tienes que desarrollar en ti para recibir una contratación bajo ese esquema.

¡Actualízate!

Periódicamente realiza un autoanálisis FODA, para que tengas claridad en cúales son tus debilidades y tus fortalezas como ser humano y como profesionista, y para que, además, puedas detectar a tiempo tus amenazas y oportunidades. A continuación te lo explico rápidamente.

Diagnóstico de una situación actual

	Internos	*Externos*
–	*Debilidad* Aspectos negativos de una situación interna	*Amenaza* Aspecto negativo del entorno externo y sus posibles consecuencias.
+	*Fortaleza* Aspectos positivos internos	*Oportunidad* Aspectos positivos externos con su proyección futura.

Ejemplo de cómo podrías aplicar un FODA en tus destrezas como profesionista.

	Internos	*Externos*
–	*Debilidad* Soy muy condescendiente con mis compañeros y nunca expreso mi opinión. No controlo bien los tiempos de entrega y a veces entrego mis actividades después de lo acordado.	*Amenaza* Están entrando muchos jóvenes a ocupar puestos similares al mío, con un mayor conocimiento de la computación que yo. Las ventas han bajado 20 %, y si no despegan los nuevos productos, la empresa puede cerrar.
+	*Fortaleza* Les doy seguimiento puntual a los trabajos que me envían. Muestro una actitud positiva ante los nuevos retos que enfrenta el departamento.	*Oportunidad* Cada vez hay un mayor número de tutoriales para perfeccionar mi conocimiento en los sistemas operativos que se manejan en mi trabajo. La empresa está ofreciendo cursos de capacitación en varias áreas.

Cuando te das a la tarea de hacer tu propio FODA es fácil desarrollar estrategias para potencializar lo que te sirve y eliminar los obstáculos que te impiden alcanzar tus metas.

Evaluación del desempeño

- Cuadro comparativo de los tipos de contratos laborales.
- Contratos muestra debidamente completados.

El secreto del éxito en la vida
de un hombre está en prepararse para
aprovechar la ocasión cuando se presente.

Benjamin Disraeli

Evaluación del aprendizaje

Autoevaluación

Consulta, en la sección "Metodología de este libro", la escala de evaluación en la página 15, para que consideres la escala con la que evaluarás los siguientes desempeños.

Desempeños	*Puntaje*	*Compromiso que puedo establecer para mejorar mi desempeño*
1.3. Eliges alternativas y cursos de acción con base en criterios sustentados y en el marco de un proyecto de vida.		
1.7. Administras los recursos disponibles teniendo en cuenta las restricciones para el logro de tus metas.		
4.1. Expresas ideas y conceptos mediante representaciones lingüísticas, matemáticas o gráficas.		
4.2. Aplicas distintas estrategias comunicativas según quienes sean tus interlocutores, el contexto en el que te encuentras y los objetivos que persigues.		

4.3. Identificas las ideas clave en un texto o discurso oral, e infieres conclusiones a partir de ellas.		
4.5. Manejas tecnologías de la información y la comunicación para obtener información y expresar ideas.		
6.1. Eliges las fuentes de información más relevantes para un propósito específico y discriminas entre ellas de acuerdo con su relevancia y confiabilidad.		
6.2. Evalúas argumentos y opiniones, e identificas prejuicios y falacias.		
6.3. Reconoces los propios prejuicios, modificas tus puntos de vista al conocer nuevas evidencias, e integras nuevos conocimientos y perspectivas al acervo con el que cuentas.		
6.4. Estructuras ideas y argumentos de manera clara, coherente y sintética.		
7.1. Defines metas y das seguimiento a tus procesos de construcción de conocimiento.		
7.3. Articulas saberes de diversos campos y estableces relaciones entre ellos y tu vida cotidiana.		
8.2. Aportas puntos de vista con apertura y consideras los de otras personas de manera reflexiva.		
8.3. Asumes una actitud constructiva, congruente con los conocimientos y las habilidades con los que cuentas dentro de distintos equipos de trabajo.		

1. De este bloque, ¿qué fue lo que te agradó más?

2. Lo que aprendiste en este bloque, ¿puedes aplicarlo en tu vida? Justifica tu respuesta.

3. Para conocer con mayor profundidad y amplitud lo visto en este bloque, ¿sobre qué otros temas podrías investigar? Menciona por lo menos tres.

a)

b)

c)

4. Lo que viste en este bloque ¿ayudó de alguna forma a cambiar tu actitud? ____________

¿Por qué? ____________

5. Tu aprendizaje, que incluye actitudes, esfuerzos y cambios personales, lo evalúas en forma general como: ____________, debido a que ____________

Coevaluación

	Concepto	*Muy mal*	*Mal*	*Indistinto*	*Bueno*	*Muy bueno*
1	En el transcurso de este bloque se mostró participativo con *actitud* positiva					
2	Brindó *atención* a las explicaciones que brindó el facilitador y a las participaciones de los compañeros de clase durante este bloque					
3	Se mostró *participativo* con todo el grupo, en especial con los equipos con los que ha trabajado					
4	Mejoró la *comunicación* con los compañeros, tanto en expresiones como en ideas e intenciones					
5	Se condujo con *honestidad* y *sinceridad*					

Heteroevaluación

El facilitador evaluará en el siguiente cuadro el alcance que ha mostrado el estudiante en el logro de competencias, marcando el nivel correspondiente de acuerdo con su observación durante la clase y tomando en cuenta el desarrollo durante las actividades, la evaluación de desempeño y las evidencias de aprendizaje.

Realizas una entrevista y un cierre de la búsqueda de trabajo, lo que te permite, en lo sucesivo, enfrentar en la realidad este proceso de una manera segura, correcta y exitosa.

Pésimo	*Deficiente*	*Regular*	*Bueno*	*Excelente*

Referencias laborales

Uso de Word, Excel y PowerPoint.
Uso de internet
http://www.ceia.uns.edu.ar/laborales/index.asp
http://www.tusbuscadores.com/trabajo
http://www.slideshare.net/folmisericordia/el-proceso-de-bsqueda-de-empleo-1944134
http://www.trabajo.com.mx/preguntas_que_haran_en_una_entrevista_de_trabajo.htm
http://www.educastur.princast.es/fp/hola/empleo/index.htm
http://extremisimo.com/100-preguntas-para-una-entrevista-de-trabajo
http://es.wikipedia.org/wiki/Entrevista_de_trabajo
http://www.entrevistadetrabajo.org
http://www.buscarempleo.es/category/ayuda-a-buscar-trabajo

Bibliografía

Carrión Mejía, C. (2010). *Logra el trabajo que buscas*. México. Editores Mexicanos Unidos

Constitución Política de los Estados Unidos Mexicanos, publicada en el *Diario Oficial de la Federación* el 5 de febrero de 1917. Última reforma publicada: DOF 11-06-2013

Gutiérrez, M. (2010). *Cómo encontrar trabajo*. México. Editores Mexicanos Unidos

Ley Federal del Trabajo. Nueva Ley publicada en el *Diario Oficial de la Federación* el 1 de abril de 1970. Última reforma publicada: DOF 30-11-2012

Moreno Martínez, H. (2009). *Cómo encontrar trabajo*. México. Trillas

Rodríguez de Llauder, M. (2010). *Cómo encontrar trabajo hoy*. Barcelona. Profit

Zurita Espinosa, P. (2010). *Cómo encontrar trabajo. Guía práctica*. Colombia. Ra-Ma